초등학생을 위한

표준 한국어

저학년

의사소통 3

초등학생을 위한
표준 한국어

국립국어원 기획 | 이병규 외 집필

저학년
의사소통 3

마리북스

발간사

　다문화가정 학생 수는 매년 증가하여 2018년 12만여 명에 이릅니다. 그런데 중도입국자녀나 외국인 가정 자녀와 같은 다문화 학생들은 학령기 학생에게 기대되는 한국어 능력 수준에 이르지 못하는 경우가 많습니다. 이는 다문화 학생이 교과 학습 능력을 갖추지 못하거나 또래 집단 문화에 적응하지 못하는 결과로 이어지고, 결국 한국 사회에 안정적으로 정착하는 데 어려움을 겪는 주요한 원인이 됩니다. 따라서 다문화 학생을 위한 교육 지원은 보다 전문적이고 체계적으로 이루어져야 합니다.

　학령기 한국어 학습자를 위한 정부 지원은 교육부에서 2012년에 '한국어 교육과정'을 개발하여 고시하였고, 국립국어원에서 교육과정을 반영한 학교급별 교재를 개발하면서 본격적으로 이루어졌습니다. 그 후 '한국어 교육과정'이 개정·고시(교육부 고시 제2017-131호)되었습니다. 이에 국립국어원에서는 2017년부터 개정된 교육과정에 따라 한국어 교재를 개발하고 있으며, 그 첫 번째 결과물로 초등학교 교재 11권, 중고등학교 교재 6권을 출판하게 되었습니다. 교사용 지도서는 별도로 출판은 하지 않지만, 국립국어원 한국어교수학습샘터에 게시해 현장 교사들이 무료로 이용할 수 있게 하였습니다.

　이번 교재 개발에는 언어학 및 교육학 전문가가 집필자로 참여하여 한국어 교육의 전문적 내용을 쉽고 친근하게 구성하기 위해 노력하였습니다. 특히 이 교재는 언어 능력 향상뿐만 아니라 서로 다른 문화를 이해하여, 한국 사회 구성원으로서 정체성을 확립하는 데 도움이 되도록 개발하였습니다.

　아무쪼록《초등학생을 위한 표준 한국어》교재가 다문화가정 학생들이 한국어를 쉽고 재미있게 배워서 한국 사회에서 자신의 꿈을 키워 나가는 데 도움을 줄 수 있기를 바랍니다.

　끝으로 이 교재의 개발을 위해 최선의 노력을 기울여 주신 교재 개발진과 출판사에 깊은 감사의 말씀을 드립니다.

2019년 2월
국립국어원장 소강춘

머리말

2012년 '한국어(KSL) 교육과정'이 고시되면서 초등 및 중등 학습자를 위한 한국어(KSL) 교육은 공교육의 체제 속에서 전개되어 왔습니다. 모어 배경과 문화, 생활 경험과 언어적 환경 등에서 매우 다양한 한국어(KSL) 학습자들은 '한국어(KSL) 교육과정'이 적용된《표준 한국어》교재를 배워 왔고 일상생활과 학교생활에 필요한 한국어 능력을 길러 왔습니다. 이제 학교에서의 한국어(KSL) 교육은 새로운 도약을 목전에 두고 있다고 할 수 있습니다. 지난 2017년에 '한국어(KSL) 교육과정'이 개정되면서, 개정 교육과정이 적용된 새로운 교재 11권이 세상에 빛을 보게 되었기 때문입니다.

새로 발행되는《초등학생을 위한 표준 한국어》교재 편찬에서는 두 가지 원칙을 분명히 하고 있습니다. 첫째, 개정된 교육과정의 관점과 내용 체계, 교재 개발을 위한 기초 연구의 성과 등을 충실하게 반영하는 것입니다. 〈의사소통 한국어〉 교재와 〈학습 도구 한국어〉 교재를 분권하는 것이나 학령의 특수성을 고려한 저학년용, 고학년용 교재의 구분 등은 이러한 맥락에서 실행되었습니다. 또한 교육과정에서 제시한 언어 재료는 주요한 내용 설정의 준거가 되었습니다. 더불어 '내용 모듈화'의 방안을 살려 학습자의 특성과 교육 현장의 필요에 적합한 내용 선택 및 재구성이 가능하도록 하였습니다.

둘째, 초등학생 한국어(KSL) 학습자와 교육 현장을 충분히 이해하고 고려하는 것입니다. 이를 위해 연구 집필진은 초등학생 한국어(KSL) 학습자의 언어 환경, 한국어 학습의 조건과 요구 등을 파악하는 데에 많은 노력을 기울였습니다. 초등학생 학습자의 일상, 학교생활, 교과 수업의 장면을 주제화하고 이러한 주제를 중심으로 필수 어휘와 문법, 표현을 재선정하였습니다. 초등학생들에게 적합한 이미지 중심의 내용 제시, 놀이 활동의 강화, 한글 교육 내용의 특화 등도 강조하였습니다.

개정《초등학생을 위한 표준 한국어》교재의 편찬을 위해 많은 관심과 지원을 아끼지 않은 국립국어원 소강춘 원장님을 비롯한 관계자 여러분께 감사드립니다. 고된 작업 일정과 어려운 여건 속에서도 진심과 열정으로 임해 주셨던 연구 집필진 선생님들께, 그리고 마리북스 출판사에도 깊은 감사의 마음을 전합니다.

언어는 사람의 삶, 그 자체입니다. 초등학생 학습자들이 이 책을 가지고 한국어를 배우는 것으로 삶의 큰 기쁨과 힘을 얻기를 바랍니다. 새로운 세상을 열고 새로운 존재로서의 자신을 단단히 깨닫게 되기를 바라는 마음입니다.

2019년 2월
연구 책임자 이병규

〈의사소통 한국어 3〉 저학년 교재는 초등학교 1~2학년 학생들이 일상생활과 학교생활을 하는 데 필요한 한국어 능력을 기를 수 있도록 개발되었습니다. 초등학교 저학년 학생들이 일상생활과 학교생활에서 자주 쓰는 한국어 어휘와 문법, 표현을 배울 수 있도록 하였고, 듣고 말하고 읽고 쓰는 문식 활동을 충분히 경험하도록 하였습니다. 이 교재는 전체 8단원으로 구성되어 있으며 각 단원의 1~4차시는 의사소통 능력을 키우기 위하여 반드시 기본적으로 배워야 하는 기능과 지식이 포함되어 있는 필수 차시이고, 5~8차시는 필수 차시 학습 내용을 다양한 말이나 글의 유형에 통합하여 심화 학습 할 수 있는 선택 차시로 구성하였습니다. 〈의사소통 한국어 3〉 각 단원 선택 차시는 학습자의 수준과 학령에 따라 〈학습 도구 한국어〉 1~2학년군의 각 단원(1~8단원)의 차시와 선택적으로 학습이 이루어질 수 있도록 구성하였습니다.

 해당 차시 목표 어휘   해당 차시 목표 문법   듣기 자료

이 책의 구성

단원	주제	기능	문법	어휘	문화	담화 유형
1	건강	• 아픈 증상 설명하기 • 학교 보건실에 도움 요청하기	–다가, 인 것 같다, 에, –은 다음에	신체 어휘, 건강 관련 어휘	한국의 병원 소개	대화, 노래, 동화
2	취미 생활	• 취미 말하기 • 능력 말하기	–을 줄 알다/모르다, –을래?, –자마자, –은 적이 있다/없다	취미 관련 어휘	학예 발표회	대화, 초대 글, 가정 통신문
3	체험 학습	• 체험 학습에 대해 묻고 대답하기 • 안전 규칙 이야기하기	하고 같이, 끼리, 대로	체험 학습 관련 어휘	화재 대피 요령	대화, 가정 통신문, 체험 학습 보고서
4	숙제	• 숙제 설명하기 • 역할 조정하기	–어도, –는 동안에, –냐고 하다, –자고 하다	숙제 관련 어휘	한국의 숙제 종류	대화, 알림장, 독서록
5	규칙	• 규칙 설명하기 • 금지와 허용 하기	–으면 안 되다, –는다고 하다, –으라고 하다, –고 나서	규칙과 예절 관련 어휘	지진 대피 요령	대화, 편지, 설명문, 메모
6	통신	• 전화 통화하기 • 문자 메시지와 SNS 메시지 보내기	–거든, –어 달라고 하다, –으면 어떡해, –어야지	전화 관련 어휘	그림말	전화 대화, 인터넷 대화, 문자 메시지
7	일과 직업	• 직업과 하는 일 설명하기 • 장래 희망 말하기	처럼, –었으면 좋겠다, –으려면, –으면 되다	직업 관련 어휘	미래의 직업	대화, 발표문, 언어 게임
8	계획과 실천	• 방학 계획 이야기하기 • 새해 계획 세우기	–는 김에, –을 것 같다, –기로 하다, –기 때문에	방학 계획	여러 나라의 학사 일정	대화, 생활 계획표, 다짐 글, 일기

단원 구성과 교재 활용 방법

· 단원 구성

선택 차시의
학습 주제 목록입니다.

선택 1
5 감기 증상 말하기
6 역할 놀이 하기
7 동화 읽기
8 생각 넓히기

필수 차시의
학습 주제 목록입니다.

이 집은 필수 차시와
선택 차시로 완성됩니다.

필수
1 보건실
2 사고
3 증상
4 병원

선택 2
학습 도구
한국어

· 교재 활용

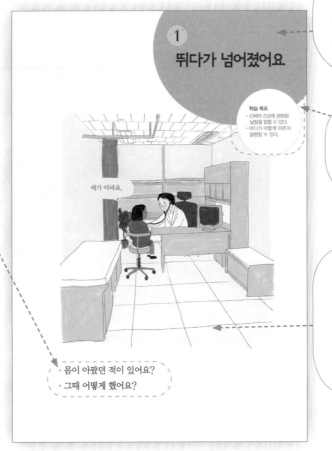

도입

단원 번호와 단원명
단원의 주제를 제목으로
제시하였습니다.

1
뛰다가 넘어졌어요

학습 목표
· 신체와 건강에 관련된
낱말을 말할 수 있다.
· 어디가 어떻게 아픈지
설명할 수 있다.

배가 아파요.

학습 목표
단원의 학습 목표를
제시하였습니다.

도입 질문
단원 학습 주제와 관련된
단원 도입 질문 두 가지를
제시하였습니다.

· 몸이 아팠던 적이 있어요?
· 그때 어떻게 했어요?

도입 장면
단원 주제와 관련되어
있으며, 학생들의
일상생활과 연계한 장면을
제시하였습니다.

필수 차시

차시 번호와 차시 제목

해당 차시의 주제를 제목으로
제시하였습니다.

듣기 자료

학습 대상 어휘나 문법의
도입, 대화, 읽기 자료가
수록되어 있습니다.

제시 활동

해당 차시에 도입되는
학습 대상 어휘나 문법을
그림, 낱말, 대화, 글 등의
형식으로 제시하였습니다.

장면

학생들의 실제적인
언어 상황이 드러나도록
언어 활동 장면을
구성하였습니다.

② 방학 계획

1. 대화를 듣고 친구들이 방학 때 무엇을 할 계획인지 알아봅시다.

방학 때 무엇을 할 거예요?

1) 선생님께서 뭐라고 물어보셨어요?

2) 친구들은 무엇을 할 것 같아요?

146 • 의사소통 한국어 3

할머니 댁

-을 것 같다

2. 〈보기〉와 같이 방학 계획에 대해 친구와 함께 묻고 답해 봅시다.

〈보기〉

가: 너는 방학에 뭐 할 거야?
나: 나는 할머니 댁에 갈 것 같아.

가족 여행

박물관

놀이 공원

3. 여러분은 방학 때 무엇을 할 계획인지 말해 봅시다.

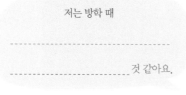

저는 방학 때

-------------------------- 것 같아요.

8 방학에 할머니 댁에 갈 것 같아요 • 147

선택 차시

차시 번호

5~8은 선택 차시를 나타냅니다.

차시 제목

선택 차시의 제목은 말이나 글의 유형과 언어 기능을 통합하여 제시하였습니다.

심화 학습

필수 차시에서 배운 어휘와 문법을 듣기와 말하기, 읽기와 쓰기 통합 과제로 심화 학습을 합니다.

언어 활동

동화 읽기, 만화 읽기, 노래하기, 게임하기, 역할극하기, 퍼즐 맞추기 등 다양한 유형의 활동을 통해 필수 차시에서 배운 어휘와 문법을 언어 기능과 함께 심화 학습을 합니다.

---

⑦ 동화 읽기

1. '사자의 병문안을 간 여우'를 읽어 봅시다.

어느 숲속에 늙은 사자가
살고 있었어요.
사자는 너무 늙어서
사냥할 힘이 없었어요.
'아휴, 배고파. 뭐라도 먹고 싶다.'

사자는 자신이 병이 들었다고
숲속 동물들에게 알렸어요.
제일 먼저 토끼가 병문안을 왔어요.
"사자님, 많이 아프세요?"
"토끼인 것 같은데, 목소리가 잘 안 들리니까
안으로 들어와."

그다음에 사슴도 쥐도
사자 집으로 들어갔어요.
그렇지만 사자의 집에 들어간 동물들은
아무도 나오지 않았어요.

30 · 의사소통 한국어 3

⑧ 생각 넓히기

1. 세계 여러 나라 학교의 개학과 방학에 대해 알아봅시다. ◄┄┄┄┄

나라	학년 시작과 끝	방학	특징
대한민국	3월~2월	여름 방학 겨울 방학 봄 방학	여름 방학과 겨울 방학이 길다.
	9월~8월	가을 방학 겨울 방학 봄 방학 여름 방학	여름 방학이 길다.
	4월~3월	여름 방학 겨울 방학 봄 방학	여름 방학이 길다.
	6월~5월	여름 방학 겨울 방학	여름 방학이 길다.
	9월~8월	여름 방학 겨울 방학	여름 방학이 길다.

1) 어느 나라 국기인지 써 보세요.

2) 3월에 새 학년이 시작되는 나라는 어디예요?

3) 세계 여러 나라의 방학에 어떤 공통점이 있어요?

158 • 의사소통 한국어 3

성우
한국

지민
한국

저밍
중국

하미
베트남

요우타
일본

아비가일
필리핀

리암
미국

아이다
키르기스스탄

빈센트
케냐

촘푸
태국

자르갈
몽골

김세현 선생님

박혜연 선생님

2017 개정 교육과정에 따른《초등학생을 위한 표준 한국어》의 특징은 다음과 같습니다.

첫째, 한국어 능력이 없거나 현저히 부족한 학생이 대상이며, 다양한 수준의 학습자를 고려하여 교재를 모듈화하였습니다. 이 책은 크게 일상생활과 학교생활 적응을 위한 〈의사소통 한국어〉와 교과 학습 적응을 위한 〈학습 도구 한국어〉로 분권하였습니다. 〈의사소통 한국어〉는 저학년용 네 권, 고학년용 네 권으로 1권과 2권은 초급, 3권과 4권은 중급에 해당합니다. 각 권은 목표 어휘와 목표 문법 학습을 위한 필수 차시, 다양한 담화 유형과 듣기·말하기·읽기·쓰기 활동에 통합하여 반복·심화 학습이 이루어지도록 구성한 선택 차시로 구성되었습니다. 〈학습 도구 한국어〉는 교과 학습 적응을 지원할 수 있도록, 초등학교 교육과정의 학년군별 위계화에 따라 1~2학년군용, 3~4학년군용, 5~6학년군용 모두 세 권으로 분권하였습니다. 3권, 4권 학습자 중 학습 이해도가 빨라 선택 차시의 학습이 불필요한 경우에는 〈학습 도구 한국어〉의 해당 단원을 선택하여 학습할 수 있습니다.

둘째, 대상 학습자의 인지 발달 수준과 언어 경험 수준을 고려하여 교수요목을 재정비하였습니다. 학습자 개인에서 주변·사회로, 구체적인 경험에서 추상적인 경험으로 학습 주제와 내용을 확장하였고, 그와 관련된 핵심 어휘와 문법을 선정하여 교수·학습 내용으로 제시하였습니다.

셋째, 초등 학습 단계가 구체적 조작기임을 고려하여, 목표 어휘와 목표 문법을 추상적인 언어로 설명하는 방식이 아니라, 구체적이고 실제적인 한국어 활동의 장면을 이미지화하여 이를 통하여 교수·학습함으로써 쉽게 익힐 수 있도록 하였습니다.

넷째, 게임·노래·놀이·퍼즐 맞추기·역할극하기·만화 보기 등 초등학생들의 흥미를 유발할 수 있는 다양한 학습 장치를 활용하여 활동을 구성하였습니다.

다섯째, 필수 차시에서는 목표 어휘와 목표 문법을 듣기·말하기·읽기·쓰기 활동과 통합하여 총체적이고 실제적인 의사소통 능력을 기를 수 있도록 구성하였고, 선택 차시에서는 듣기·말하기·읽기·쓰기 활동이 통합된 특정 담화의 유형 속에서 목표 어휘와 목표 문법을 반복·심화 학습하여 담화의 생산과 수용 능력을 기를 수 있도록 하였습니다.

여섯째, 매 차시 학습 전개 순서를, 학습 내용 확인을 위한 '제시 활동 단계', 확인한 학습 내용을 연습할 수 있는 '연습 활동 단계', 연습한 학습 내용을 일상생활에 적용하고 실천하여 내면화할 수 있는 '적용 활동 단계'로 나누어 구성하였습니다.

일곱째, 〈학습 도구 한국어〉는 수업 장면에서 반복되는 교실 어휘와 각 학년군의 국어·수학·사회·과학 교과서에 반복해서 등장하는 사고 도구 어휘·범용 지식 어휘를 학습 내용으로 선정하고, 그 어휘가 등장하는 수업 장면과 교과서를 활용하여 교수·학습 자료로 구성하였습니다.

여덟째, 〈의사소통 한국어〉나 〈학습 도구 한국어〉에서 연습 활동이 충분히 이루어지지 못한 경우는《초등학생을 위한 표준 한국어 익힘책》에서 보충할 수 있도록 연계하였습니다.

선택 1

5 감기 증상 말하기
6 역할 놀이 하기
7 동화 읽기
8 생각 넓히기

필수

1 보건실
2 사고
3 증상
4 병원

선택 2

학습 도구
한국어

뛰다가 넘어졌어요

배가 아파요.

- 몸이 아팠던 적이 있어요?
- 그때 어떻게 했어요?

1. 우리 몸의 이름을 알아봅시다. 💿 1

　1) 노래를 듣고 따라 불러 보세요. 노래를 부르면서 내 몸의 부분을
　　가리켜 보세요.

　2) 친구와 함께 '몸의 이름 맞히기 게임'을 해 보세요.

머리, 눈, 코, 귀, 입,
어깨, 허리, 배, 손, 팔, 발,
무릎, 다리

2. 저밍이 어디가 아픈지 알아봅시다.

1) 듣고 그림을 가리켜 보세요. 💿 2

어디가 아파요?

가 어깨

나 목

다 팔

라 ← 배

2) 듣고 따라 하세요. 💿 2

3) 친구의 설명을 듣고 몸을 그려 보세요.

손을 그려.

3. 여러분은 아픈 적이 있어요? 어디가 아팠어요?
친구들과 이야기해 봅시다.

나는 지난주에
배가 아팠어요.

② 사고

1. 다친 이유를 알아봅시다.

라면을 끓이다 손을 데다 뛰다 넘어지다

철봉에 매달리다 떨어지다 요리를 하다 손을 베이다

1) 친구들이 무엇을 했어요? 어떻게 되었어요?

2) 그림을 보면서 다친 이유와 결과를 연결해서 말해 보세요.

아비가일이 라면을 끓이다가
손을 데었어요.

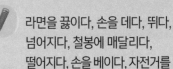

2. 그림에 알맞은 말을 쓰고 〈보기〉처럼 대화해 봅시다.

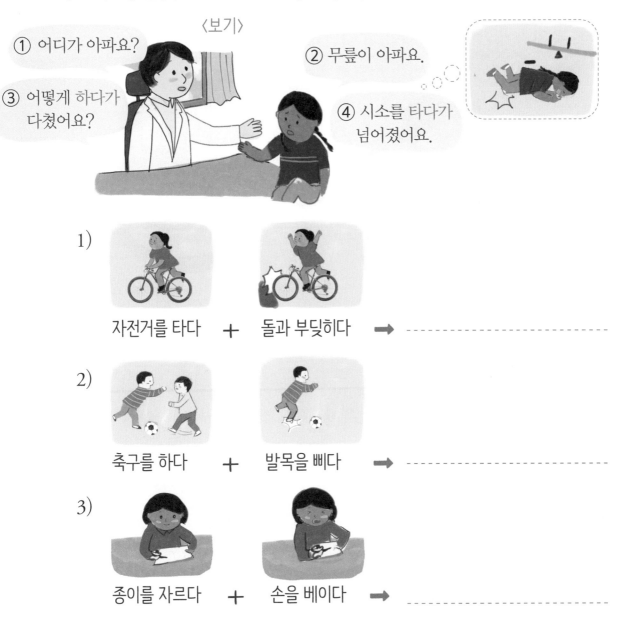

〈보기〉

① 어디가 아파요?

② 무릎이 아파요.

③ 어떻게 하다가 다쳤어요?

④ 시소를 타다가 넘어졌어요.

1) 자전거를 타다 + 돌과 부딪히다 ➡ ------------------------------

2) 축구를 하다 + 발목을 삐다 ➡ ------------------------------

3) 종이를 자르다 + 손을 베이다 ➡ ------------------------------

3. 여러분은 다친 적이 있어요? 다음 장소에서 어디를 어떻게 다쳤는지 말해 봅시다.

| 교실 | 집 | 운동장 | 놀이공원 | ? |

③ 증상

1. 병의 증상을 알아봅시다.

　　1) 충치가 생기면 어떤 증상이 나타나요?

 엄마, 이가 아파서 밥을 못 먹겠어요.

엄마 충치인 것 같은데 치과에 가자.

　　2) 배탈이 나면 어떤 증상이 나타나요?

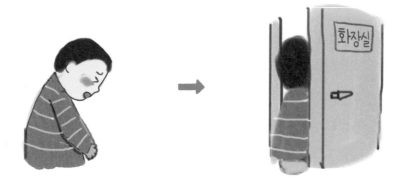

 아빠, 배가 아프고 설사를 해요.

아빠 배탈인 것 같은데 병원에 가자.

2. 대화를 들어 봅시다. 💿3

1) 대화를 듣고 어울리는 것끼리 연결해 보세요.

2) 위 내용을 보고 〈보기〉처럼 대화해 보세요.

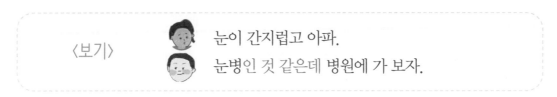

〈보기〉 눈이 간지럽고 아파.
눈병인 것 같은데 병원에 가 보자.

3. '몸으로 말해요' 놀이를 해 봅시다.

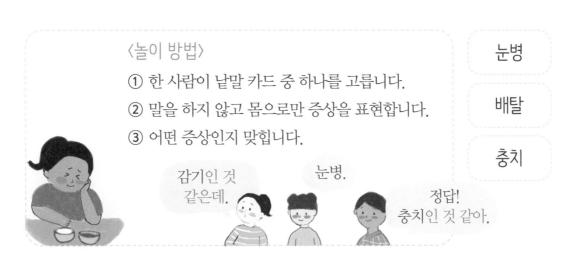

〈놀이 방법〉

① 한 사람이 낱말 카드 중 하나를 고릅니다.
② 말을 하지 않고 몸으로만 증상을 표현합니다.
③ 어떤 증상인지 맞힙니다.

눈병
배탈
충치

감기인 것 같은데.   눈병.   정답! 충치인 것 같아.

④ 병원

1. 병의 치료 방법을 소리 내어 읽어 봅시다.

충치가 생기다

밥을 먹은 다음에 깨끗하게 이를 닦아요.

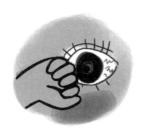

눈병에 걸리다

하루에 두 번 안약을 넣어요.

2. 다음을 보고 의사와 환자의 대화를 만들어 봅시다.

배탈이 났어요.
배가 아프고 설사를 해요.

하루, 세 번, 밥을 먹다 → 약을 먹다

1) _____.

라면을 끓이다가
손을 데었어요.

하루, 두 번, 소독을 하다 → 연고를 바르다

2) _____.

무릎에 상처가 나다

소독을 한 다음에 연고를 발라요.

발목을 삐다

하루에 한 번 파스를 붙여요.

3. 이 약은 어떻게 먹어야 하는지 말해 봅시다.

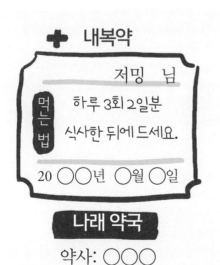

＋ 내복약

저밍 님

먹는법 하루 3회 2일분
식사한 뒤에 드세요.

20 ○○년 ○월 ○일

나래 약국

약사: ○○○

이 약은 하루에

⎯⎯⎯⎯⎯⎯⎯⎯⎯ 드세요.

⑤ 감기 증상 말하기

1. 리암이 어떻게 아픈지 알아봅시다.

열이 나다

콧물이 나다

기침이 나다

춥다

엄마, 아파요.

감기인 것 같은데
병원에 가 보자.

2. 아픈 모습과 감기의 종류를 연결해 봅시다.

1) ●   ● 몸살감기

2) ●   ● 열 감기

3) ●   ● 코감기

4) ●   ● 목감기

3. 대화를 들어 봅시다.

1) 리암의 증상을 골라 보세요. 💿 4

2) 위 내용을 보고 〈보기〉처럼 대화해 보세요.

〈보기〉　　 콧물이 나.
　　　　　 코감기인 것 같아.

역할 놀이 하기

1. 〈보기〉처럼 어떻게 하다가 아프게 됐는지 붙임 딱지를 붙여 봅시다.

붙임 딱지

라면을 끓이다가
손을 데었어요.

〈보기〉

1)

[붙임 딱지]

넘어졌어요.

2)

[붙임 딱지]

떨어졌어요.

3)

[붙임 딱지]

손을 베였어요.

4)

[붙임 딱지]

발목을 삐었어요.

5)

[붙임 딱지]

돌과 부딪혔어요.

2. 의사와 환자 역할을 정해 대화해 봅시다.

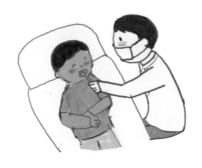 

1) 어디가 아픈지 정해 보세요.

2) 아래 대화에서 밑줄 그은 부분을 바꿔 대본을 만들어 보세요.

> 의사: 어디가 아프세요?
>
> 환자: ① 발목이 아파요.
>
> 의사: 어떻게 하다가 다쳤어요?
>
> 환자: ② 축구를 하다가 ③ 다쳤어요.
>
> 의사: ④ 발을 잘 씻은 다음에 연고를 바르세요.

> 〈보기〉
> ① 손/다리/팔/……
> ② 뛰다가/라면을 끓이다가/자전거를 타다가/……
> ③ 발목을 삐었어요./손을 데었어요./상처가 났어요./……
> ④ 밥을 먹은 다음에 약을 드세요./하루에 3번 소독을 하세요./……

3. 친구들과 함께 상황을 정해 역할 놀이를 해 봅시다.

1. 〈사자의 병문안을 간 여우〉를 읽어 봅시다.

어느 숲속에 늙은 사자가
살고 있었어요.
사자는 너무 늙어서
사냥할 힘이 없었어요.
'아휴, 배고파. 뭐라도 먹고 싶다.'

사자는 자신이 병이 들었다고
숲속 동물들에게 알렸어요.
제일 먼저 토끼가 병문안을 왔어요.
"사자님, 많이 아프세요?"
"토끼인 것 같은데, 목소리가 잘 안 들리니까
안으로 들어와."

그다음에 사슴도 쥐도
사자 집으로 들어갔어요.
그렇지만 사자의 집에 들어간 동물들은
아무도 나오지 않았어요.

'다들 어디로 사라진 거지?'
여우는 사자를 찾아가서
알아보기로 했어요.

여우는 사자를 찾아갔어요.
"사자님, 왜 동물들이 동굴로 들어간 발자국은 있는데,
나온 발자국은 하나도 없어요?"
사자는 말했어요.
"이쪽으로 들어와. 내가 말해 줄게."

2. 동물들이 왜 사라졌는지 이유를 생각해서 말해 봅시다.

3. 여우는 어떻게 했을지 이어질 이야기를 상상해서 말해 봅시다.

8 생각 넓히기

1. '병원놀이' 노래를 듣고 따라 불러 봅시다. 💿 5

2. 어디가 아플 때 어떤 병원을 가야 하는지 알아봅시다.

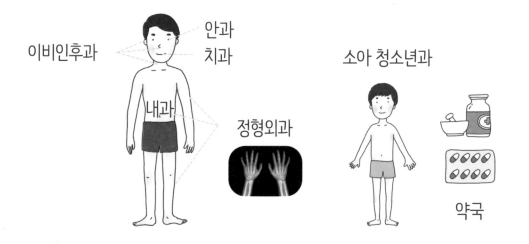

1) 눈이 아플 때 가는 병원은 어디예요?

2) 약은 어디에서 받아요?

3) 친구들이 가야 할 병원을 말해 보세요.

이가 아프면 치과에 가야 돼.

배가 아프고 설사를 하면 _____.

_____.

_____.

3. '병원놀이' 노래를 바꾸어 불러 봅시다.

여보세요, 여보세요, (   ).
(   ) (   ) 어떡할까요?
어느 어느 병원에 가야 할까요?

여보세요, 여보세요, 나는 의사요.
(   ) (   ) 빨리 오세요.
여기는 (   ) 병원입니다.

선택 1

5 취미 묻고 답하기
6 길 찾기 놀이 하기
7 가정 통신문 읽기
8 생각 넓히기

필수

1 할 수 있는 일
2 배우고 싶은 것
3 경험한 일
4 하고 싶은 것

선택 2

학습 도구
한국어

수영을 할 줄 알아요

• 여러분이 좋아하는 활동은 뭐예요?

• 방과 후 교실에서 무엇을 배우고 싶어요?

① 할 수 있는 일

1. 여러분이 할 수 있는 일에 대해 이야기해 봅시다.

1) 여러분이 할 수 있는 일은 ○, 할 수 없는 일은 ✕로 표시해 보세요.

⬜ 수영을 하다

⬜ 자전거를 타다

⬜ 종이접기를 하다

⬜ 리코더를 불다

⬜ 피아노를 치다

2) 여러분이 할 수 있는 일을 더 말해 보세요.

> 나는 ○○○을/를
> 할 줄 알아요.

2. 질문을 만들어 친구와 묻고 대답해 봅시다.

1) 대답에 알맞은 질문을 만들어 보세요.

질문	대답	
	○	×
수영을 할 줄 아니?	응, 나는 수영을 할 줄 알아.	아니, 나는 수영을 할 줄 몰라.
	응, 나는 자전거를 탈 줄 알아.	아니, 나는 자전거를 탈 줄 몰라.
	응, 나는 종이접기를 할 줄 알아.	아니, 나는 종이접기를 할 줄 몰라.
	응, 나는 리코더를 불 줄 알아.	아니, 나는 리코더를 불 줄 몰라.
피아노를 칠 줄 아니?	응, 나는 피아노를 칠 줄 알아.	아니, 나는 피아노를 칠 줄 몰라.

2) 친구와 함께 묻고 대답해 보세요.

3. 여러분이 할 수 있는 것을 써 봅시다.

나는 ------------------------------- 줄 알아요.

2 배우고 싶은 것

1. 대화를 듣고 물음에 답해 봅시다. 💿6

   1) 요우타는 아이다와 무엇을 하고 싶어 해요?

   2) 아이다는 수업이 끝나자마자 어디에 가야 해요?

   3) 아이다는 무엇을 배워요?

2. 대화를 다시 듣고, 친구와 함께 묻고 대답해 봅시다. 💿6

   1) ( ) 안에 알맞은 말을 써 보세요.

   아이다, 수업 끝나고 나랑 같이 _____?

   미안해. 수업 끝나자마자 방과 후 교실에 가야 해.

   2) ( ) 안에 들어갈 말을 다른 말로 바꾸어 친구와 묻고 대답해 보세요.

   ① 춤을 추다   ② 놀다   ③ 숙제하다

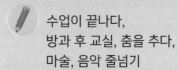

3. 방과 후 교실에 대해 이야기해 봅시다.

1) 어떤 방과 후 교실이 있어요?

2) 여러분은 어떤 것을 배우고 싶어요?

3) 친구와 함께 배우고 싶은 것을 이야기해 보세요.

> 가: 나랑 같이 마술을 배울래?
>
> 나: 아니, 나는 종이접기를 배우고 싶어.

바이올린

마술

음악 줄넘기

종이접기

1. 친구들이 무엇을 해요? 그림을 보고 붙임 딱지를 붙여 봅시다.

①

와, 신난다!

[붙임 딱지]

②

[붙임 딱지]

③

[붙임 딱지]

④

[붙임 딱지]

2. 경험한 것에 대해 이야기해 봅시다.

1) 〈보기〉와 같이 친구와 묻고 대답해 봅시다.

너는 기차를 탄 적이 있어?

응, 나는 기차를 탄 적이 있어.

아니, 나는 기차를 탄 적이 없어.

2) 1번 그림을 보고 친구와 묻고 대답해 봅시다.

3. 여러분은 어떤 경험을 했어요? 특별한 경험을 소개하고 그때의 생각이나 느낌을 써 봅시다.

나는 _____ 적이 있어요.

_____

④ 하고 싶은 것

1. 대화를 듣고 물음에 답해 봅시다. 💿 7

    1) 지민이와 성우는 무엇을 준비하고 있어요?

    2) 지민이와 성우는 수업이 끝나자마자 무엇을 하기로 했어요?

2. 친구와 함께 역할 놀이를 해 봅시다.

    1) 대화를 다시 듣고 밑줄 그은 부분에 들어갈 말을 쓰세요. 💿 7

① 성우야, 학예 발표회 때 뭐 할 거야?

② 나는 태권도를 할 거야.

③ 너 태권도 할 줄 알아?

④ 그럼, 태권도는 자신 있지. 너도 나랑 같이 ＿＿＿＿＿＿＿＿＿＿＿＿ ?

⑤ 난 태권도를 배운 적이 없어서 못해.

⑥ 내가 가르쳐 줄게. 나한테 배워 볼래?

⑦ 한 번도 해 본 적은 없지만 ＿＿＿＿＿＿＿＿＿＿＿＿.

⑧ 그럼, 오늘 수업 끝나자마자 ＿＿＿＿＿＿＿＿＿＿＿＿ ?

⑨ 응, 알았어.

2) 역할을 나누어 하고 싶은 것에 대해 대화해 보세요.

3. 학예 발표회 때 부모님을 초대하는 글을 써 봅시다.

1) 학예 발표회 때 하고 싶은 것을 말해 보세요.

- 평소에 자주 하고, 좋아하는 활동은 뭐예요?
- 방과 후 교실에서 무엇을 배워요?

2) 학예 발표회에 부모님을 초대하는 글을 써 보세요.

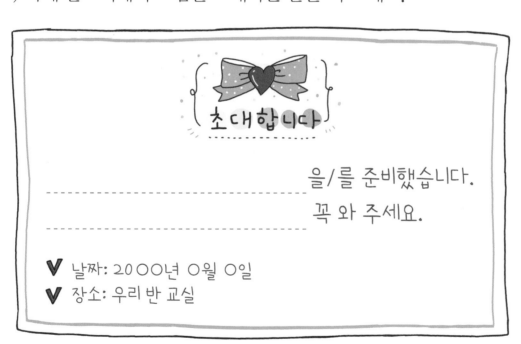

초대합니다

_____ 을/를 준비했습니다.

_____ 꼭 와 주세요.

✔ 날짜: 20○○년 ○월 ○일
✔ 장소: 우리 반 교실

1. 어울리는 낱말끼리 연결한 후에 문장을 써 봅시다.

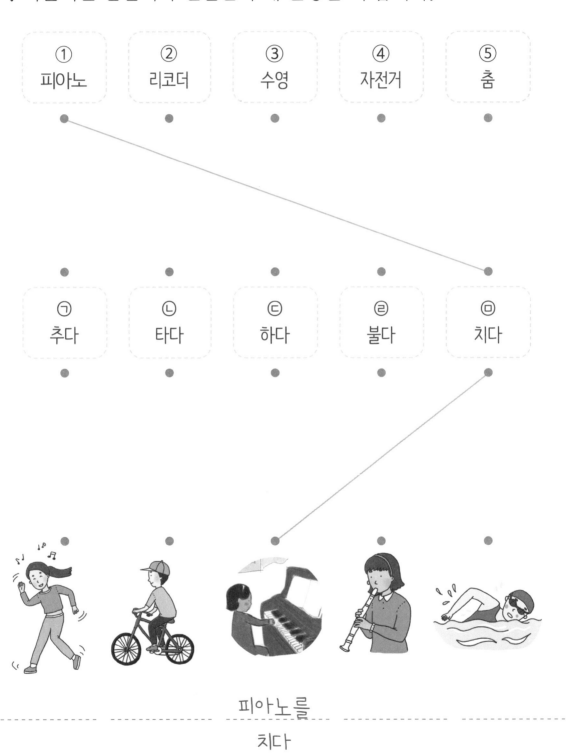

① 피아노	② 리코더	③ 수영	④ 자전거	⑤ 춤

㉠ 추다	㉡ 타다	㉢ 하다	㉣ 불다	㉤ 치다

피아노를

치다

2. 친구들의 취미를 조사해 봅시다.

너는 취미가 뭐야?

나는 피아노 치는 것을 좋아해!

아이다		
피아노 치기		

3. 여러분의 취미를 간단하게 그리고 글로 써 봅시다.

내 취미는 _____입니다.

6 길 찾기 놀이 하기

1. 질문과 대답을 읽으며 '길 찾기' 놀이를 해 봅시다.

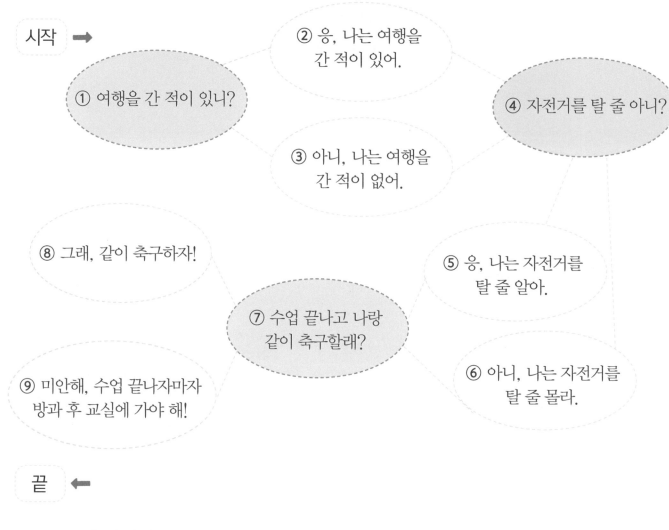

시작 ➡

① 여행을 간 적이 있니?

② 응, 나는 여행을 간 적이 있어.

③ 아니, 나는 여행을 간 적이 없어.

④ 자전거를 탈 줄 아니?

⑧ 그래, 같이 축구하자!

⑤ 응, 나는 자전거를 탈 줄 알아.

⑦ 수업 끝나고 나랑 같이 축구할래?

⑥ 아니, 나는 자전거를 탈 줄 몰라.

⑨ 미안해, 수업 끝나자마자 방과 후 교실에 가야 해!

끝 ⬅

1) 지나간 길의 번호를 쓰세요.

① ➡ 　 ➡ 　 ➡ 　 ➡ 　 ➡ 　

2) 친구와 비교해 보세요.

2. 질문과 대답을 적으면서 '길 찾기' 놀이를 다시 해 봅시다.

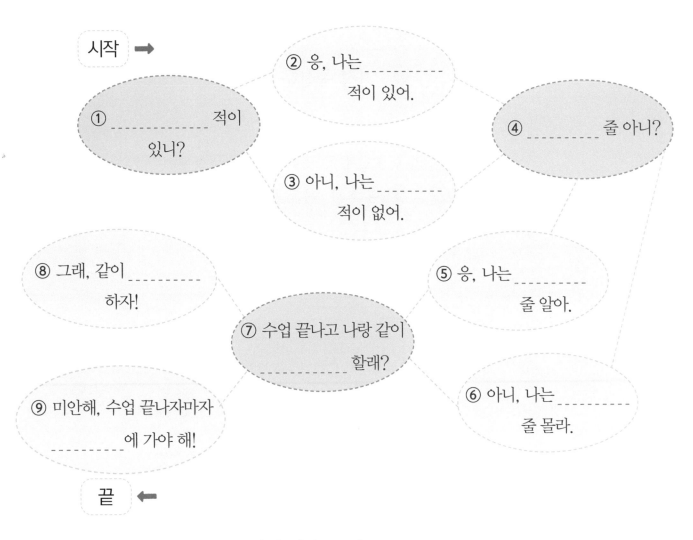

시작 ➡

① _____ 적이 있니?

② 응, 나는 _____ 적이 있어.

③ 아니, 나는 _____ 적이 없어.

④ _____ 줄 아니?

⑤ 응, 나는 _____ 줄 알아.

⑥ 아니, 나는 _____ 줄 몰라.

⑦ 수업 끝나고 나랑 같이 _____ 할래?

⑧ 그래, 같이 _____ 하자!

⑨ 미안해, 수업 끝나자마자 _____ 에 가야 해!

끝 ⬅

1) 밑줄 그은 부분에 들어갈 말을 쓰세요.

2) 지나간 길의 번호를 쓰세요.

① ➡ ⬜ ➡ ⬜ ➡ ⬜ ➡ ⬜ ➡ ⬜

3. 친구와 서로 묻고 대답해 봅시다.

⑦ 가정 통신문 읽기

1. 선생님과 함께 가정 통신문을 읽어 봅시다.

가정 통신문

안녕하세요.

1~2학년 학생들의 방과 후 교실 활동 프로그램을 안내해 드립니다. 방과 후 교실에 참여하고 싶은 학생들은 신청서를 써서 선생님께 주세요.

방과 후 교실 활동 프로그램

프로그램	내용	일시
	왕초보를 위한 바이올린 연습하기	월요일 2:00~3:00
마술	재미있고 신기한 마술 배우기	목요일 3:00~4:00
	음악에 맞춰 신나게 줄넘기	금요일 2:00~3:00
방송 댄스	방송에서 나오는 춤 배우기	수요일 2:00~3:00
종이접기	색종이를 이용하여 여러 가지 작품 만들기	화요일 3:00~4:00

나 래 초 등 학 교 장

1) 무엇을 안내하는 글이에요?

2) 월요일과 금요일 프로그램은 무엇인지 쓰세요.

3) 마술은 무슨 요일에 배울 수 있어요?

4) 화요일에는 무엇을 배울 수 있어요?

5) 방과 후 교실에 참여하고 싶으면 어떻게 해야 해요?

2. 여러분 학교에는 어떤 방과 후 교실 프로그램이 있는지 말해 봅시다.

우리 학교에는
로봇 교실이 있어요.

3. 여러분이 교장 선생님이라면 어떤 프로그램을 만들고 싶어요? 프로그램 내용을 써 봅시다.

프로그램	내용

1. 학예 발표회에 대한 경험을 이야기해 봅시다.

지금부터 2학년 5반 학예 발표회를 시작하겠습니다.

1) 여러분은 언제, 어디에서 학예 발표회를 했어요?

2) 학예 발표회에서 무엇을 발표했어요?

3) 학예 발표회를 하면서 느낀 점을 이야기해 보세요.

2. 기억에 남는 프로그램을 이야기해 봅시다.

3. 여러분 반에서 학예 발표회를 한다면 어떤 프로그램이 좋을지 생각해 봅시다.

1) 생각나는 프로그램을 모두 적어 보세요.

----

2) 가장 하고 싶은 프로그램을 고르고 이유를 말해 보세요.

선택 1
5 가정 통신문 읽기
6 주의 사항 듣기
7 만화 읽기
8 생각 넓히기

필수
1 체험 학습 준비
2 체험 학습 모둠
3 안전 교육
4 체험 학습 보고서

선택 2
학습 도구
한국어

친구하고 같이 체험 학습을 가요

학습 목표
• 체험 학습에 대해 궁금한 점을 질문하고 대답할 수 있다.
• 체험 학습을 할 때 주의할 점을 말할 수 있다.

• 어디로 체험 학습을 가고 싶어요?
• 왜 거기에 가고 싶어요?

1학년 체험 학습
장소: 서울대공원
날짜: 5월 17일 (금요일)
준비물: 도시락, 간식, 돗자리

① 체험 학습 준비

1. 체험 학습에 대해 이야기해 봅시다.

1) 언제, 어디에 가요?

2) 친구들은 가서 뭐 하고 싶어요?

2. 질문에 알맞은 대답을 연결하고 읽어 봅시다.

1) 어디에 가요? ●	● 서울대공원 동물원에 가요.
2) 언제 가요? ●	● 도시락하고 간식, 돗자리, 물이에요.
3) 준비물이 뭐예요? ●	● 친구들하고 같이 동물을 구경하고 먹이도 줄 거예요. 맛있는 도시락도 먹을 거예요.
4) 가서 뭐 할 거예요? ●	● 17일 금요일에 가요.

장소, 날짜, 준비물, 간식,
돗자리, 구경하다,
먹이를 주다

하고 같이

3. 친구들과 체험 학습에 대해 묻고 대답해 봅시다.

1) 알맞은 낱말을 쓰세요.

어디에 가요?

- _____ : 놀이공원

- _____ : 4월 16일 (목요일)

언제 가요?

- _____ : 간식, 돗자리, 물

- 가서 할 일: 놀이 기구 타기, 동물원 구경하기

2) 친구와 묻고 대답하세요.

② 체험 학습 모둠

1. 체험 학습을 갈 때 어떻게 모둠을 만들고 싶은지 이야기해 봅시다.

1) 남자는 남자끼리, 여자는 여자끼리 모둠을 만든다.

2) 남자와 여자를 섞어서 모둠을 만든다.

3) 친한 친구끼리 모둠을 만든다.

4) 반 모둠대로 모둠을 만든다.

5) 번호대로 모둠을 만든다.

1번   2번   3번   4번

2. 친구들이 어떻게 모둠을 만들고 싶은지 들어 봅시다. 💿8

1) 다시 듣고 따라 하세요. 그리고 쓰세요.

● 친한 친구끼리   ● 번호대로

저밍: 저는 _____ 모둠을 하고 싶어요.

리암: 저는 _____ 모둠을 만들어 주세요.

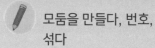

2) 모둠을 만들어 봅시다.

● 모둠을 만드는 방법을 말해 보세요.

① "남자끼리 모둠을 만들자."

② "어른끼리 모둠을 만들자."

③ "아이끼리 모둠을 만들자."

④ "동물끼리 모둠을 만들자."

⑤ "집에 있는 동물끼리 모둠을 만들자."

⑥ "동물하고 사람을 섞어서 네 명씩 모둠을 만들자."

● 방법을 듣고 연필로 모둠을 표시해 보세요.

● 모둠을 만드는 방법을 더 말해 보세요.

3. 여러분은 체험 학습 모둠을 어떻게 만들고 싶어요? 누구와 모둠을 하고 싶어요? 친구 이름을 써 봅시다.

③ 안전 교육

1. 체험 학습에서 학생들이 어떻게 해야 하는지 알아봅시다.

1) 학생들의 행동을 잘 설명한 것을 〈보기〉에서 고르세요.

① 나   ② 가   ③ ☐

④ ☐   ⑤ ☐   ⑥ ☐

〈보기〉

㉮ 혼자 돌아다니다   ㉯ 질서를 지키지 않다
㉰ 체험 학습 장소에서 뛰다   ㉱ 안전벨트를 안 매다
㉲ 밥을 먹은 다음에 청소를 하지 않다 ㉳ 친구 손을 잡지 않고 혼자 다니다

2) 선생님과 학생들의 대화를 듣고 따라 하세요. 💿 9

2. 그림을 보면서 결심하는 말을 해 봅시다.

혼자 돌아다니다 ➡ 혼자 돌아다니지 않겠습니다.

3. '결심 말하기' 놀이를 해 봅시다.

〈놀이 방법〉

혼자 돌아다니지 않겠습니다.

① 선생님이 보여 주시는 카드를 보고 한 명씩 빨리 문장을 말합니다.
② 정확하고 빨리 대답한 학생이 상을 받습니다.

1) 혼자 ○○○○○ ○○○○○.

2) 뛰지 ○○○○○.

3) 밥을 먹은 다음에 청소를 ○○○○○.

4) 친구 손을 잡고 ○○○○○○.

5) 질서를 잘 ○○○○○○.

④ 체험 학습 보고서

1. 체험 학습 보고서를 읽어 봅시다.

체험 학습 보고서

2학년 1반 이름 김성우

1. 장소: 서울대공원 동물원
2. 날짜: 5월 17일 (금요일) 09:00~14:00
3. 활동 내용: 동물 구경하고 먹이 주기

4. 느낀 점: 동물원에서 아기 양을 보았다. 아주 귀여웠다.
   그리고 친구하고 같이 양에게 먹이를 주었다.
   정말 재미있었다. 동물원에 또 가고 싶다.

1) 성우는 동물원에서 무엇을 했어요?

2) 어떤 느낌이 들었어요?

2. 친구들의 느낌이 어떤지 읽고, 붙임 딱지를 붙여 봅시다. 붙임 딱지

어제 놀이 기구를 탔어요. 정말 신났어요.	[붙임 딱지]
[붙임 딱지]	어제 아기 양을 보았어요. 아기 양이 정말 귀여웠어요.
아기 양에게 먹이를 주었어요. 아주 재미있었어요.	[붙임 딱지]
[붙임 딱지]	누에고치에서 실을 뽑았어요. 아주 신기했어요.

3. 여러분이 가 본 장소에 대해 이야기해 봅시다.

1) 어디에 가 봤어요?   2) 가서 무엇을 했어요?   3) 느낌이 어땠어요?

놀이공원

공원

미술관

식물원

과학관

박물관

⑤ 가정 통신문 읽기

1. 하미가 선생님께 받은 가정 통신문을 읽어 봅시다.

1학년 체험 학습 안내

안녕하십니까? 1학년 학생들이 체험 학습을 갑니다.

1. 날짜: 10월 15일 (금요일)
2. 장소: 식물원
3. 일정: 학교 출발(9:30) → 식물원 도착 및 오전 체험 → 점심 → 오후
   체험 → 학교 도착(14:30 예정)
4. 준비물: 점심 도시락, 간식, 물

9월 25일
나 래 초 등 학 교 장

1) 하미는 어디에 가요?

2) 체험 학습을 끝내고 언제 학교에 와요?

3) 하미는 무엇을 가지고 가야 해요?

2. 하미 엄마의 질문과 하미의 대답을 연결하고 읽어 봅시다.

어디에 가니? ●	● 식물원에 가요.
언제 가니? ●	● 2시 30분에 와요.
갔다가 언제 오니? ●	● 10월 15일 금요일에 가요.
준비물은 뭐니? ●	● 도시락, 간식, 물이에요.

3. 가정 통신문을 읽고 대화를 들어 봅시다.

1) 지민이와 엄마의 대화를 잘 들어 보세요. 💿 10

2) 가정 통신문의 내용이 <u>잘못된</u> 곳을 찾아보세요.

2학년 체험 학습 안내

안녕하십니까? 2학년 학생들이 체험 학습을 갑니다.

1. 날짜: ❶ 10월 19일 (화요일)
2. 장소: ❷ 과학관
3. 체험 활동: 과학 체험, 과학 영화 보기
4. 준비물: ❸ 점심 도시락, 간식
5. 일정: ❹ 학교 출발(9:00) → 과학관 도착 및 오전 체험 → 점심
   → 오후 체험 → 학교 도착(14:30 예정)

10월 10일
나 래 초 등 학 교 장

⑥ 주의 사항 듣기

1. 학생들이 체험 학습을 갑니다.

① [붙임 딱지]

② [붙임 딱지]

선생님! 체험 학습에서 뛰지 않겠습니다!

1) 선생님의 주의 사항을 들어 봅시다. 💿11

2) 그림을 보고 알맞은 주의 사항을 붙여 봅시다. 붙임 딱지

3. 친구와 같이 '결심하기' 게임을 해 봅시다.

공부를 열심히 하겠습니다!

2. 그림을 보고 결심하는 말을 해 봅시다.

③ 미술 작품

[붙임 딱지]

④ 혼자가 좋아.

[붙임 딱지]

〈놀이 방법〉

① 여러 가지 결심할 내용을 생각합니다.

② 순서대로 결심을 말합니다.

③ 내 순서가 되면 '-겠습니다' 또는 '-지 않겠습니다'를 넣어서 외칩니다.

④ 제일 많이 말한 사람이 승리!

⑦ 만화 읽기

1. 만화를 읽어 봅시다.

옛날 옛날에 '동물 학교'가 있었어요.
동물 학교의 강아지 반과 고양이 반
친구들은 사이가 좋지 않았어요.

2. 만화를 다시 읽고 물음에 답해 봅시다.

1) 강아지 반 친구들은 뭐라고 말했어요?

2) 고양이 반 친구들은 뭐라고 말했어요?

3) 마지막에 동물 친구들은 교장 선생님께 뭐라고 했을까요?

다음부터 싸우지 않겠습니다.	친하게 지내겠습니다.
화를 내지 않겠습니다.	체험 학습 가고 싶어요!

4) 이어지는 이야기를 만들어 보세요.

오늘은 동물 학교 친구들이
체험 학습을 가는 날이에요.

멍멍!

야옹! 야옹!

강아지 반 친구들이 말했어요.

멍멍!
우리는 고양이 반하고
같이 갈 수 없어!
강아지는 강아지끼리,
고양이는 고양이끼리
버스를 타야 해!

고양이 반 친구들도 말했어요.

강아지 반 친구들,
정말 싫어.
같이 버스에 타는 것도
싫다고! 야옹!

동물 학교 친구들이 싸우자
곰 교장 선생님이 말했어요.

알겠습니다.
강아지 반하고
고양이 반이 사이가
안 좋으니까
오늘 체험 학습은
안 가겠습니다!

그 말을 듣고 동물 친구들은
깜짝 놀라서 소리쳤어요.

3. 친구들과 함께 역할을 정해서 역할 놀이를 해 봅시다.

〈놀이 방법〉

① 역할을 정하고, 이야기를 크게 읽습니다.
② 친구들과 함께 역할 놀이를 해 봅시다.

8 생각 넓히기

1. 불이 났을 때 어떻게 행동해야 하는지 읽어 봅시다.

①

화재경보기를 누릅니다.

②

빨리 119에 신고합니다.

③

할 수 있으면 소화기로 불을 끕니다.

④

불이 없는 계단으로 빨리 피합니다.

⑤

피할 때는 자세를 낮게 하고 젖은
수건이나 옷으로 입과 코를 막습니다.

⑥

엘리베이터는 위험하니까
타지 않습니다.

2. 설명이 그림과 맞으면 ○, 틀리면 ✕ 표시를 해 봅시다.

1) 불이 나면 112에 신고해야 합니다.   (   )

2) 불이 나면 불이 없는 계단으로 피해야 합니다.   (   )

3) 피할 때는 입과 코를 막아야 합니다.   (   )

4) 불이 나면 엘리베이터를 타야 합니다.   (   )

3. 선생님과 함께 화재 대피 연습을 해 봅시다.

1) 학교에서 다음을 찾아보세요.

화재경보기 (   )   소화기 (   )   계단 (   )

2) 줄을 서서 계단으로 내려가는 연습을 해 보세요.

3) 자세를 낮게 하고 입과 코를 막고 내려가는 연습을 해 보세요.

선택 1
5 재미있는 숙제 말하기
6 이야기 이어 쓰기
7 다양한 독서록 쓰기
8 생각 넓히기

필수
1 알림장
2 오늘의 숙제
3 모둠 활동
4 숙제 검사

선택 2
학습 도구
한국어

숙제를 다 하고 놀자고 했어요

• 오늘 숙제가 뭐예요?

• 어떤 숙제가 재미있어요? 어떤 숙제가 어려워요?

알림장

1. 알림장을 읽어 봅시다.

20○○년 10월 21일 (월)	선생님 확인	부모님 확인
1. 복도에서 뛰지 않아요.		
2. 숙제 1: 수익 24쪽 풀기		
3. 숙제 2: 책 읽기 30분		
4. 가정 통신문: 11월 급식 안내		
5. 준비물: 줄넘기		

1) 알림장을 읽고 숙제를 찾아보세요.

2) 다음은 무엇을 줄인 말인지 연결하고 읽어 보세요.

① 숙	•	• 준비물
② 가통	•	• 수학 익힘책
③ 수익	•	• 가정 통신문
④ 준	•	• 숙제

2. 아이다와 엄마의 대화를 완성해 봅시다.

20○○년 10월 30일 (수)	선생님 확인	부모님 확인
1. 숙 1: 국어 50~53쪽 읽기		
2. 숙 2: 일기 쓰기		
3. 가통 1개: 부모님 도장 받아 올 것		
4. 준: 리코더		

오늘 숙제가 뭐니?

잠깐만요. 알림장을 볼게요.

_____ 랑

_____ 예요.

3. 여러분의 알림장을 보고 숙제를 설명해 봅시다.

② 오늘의 숙제

1. 성우의 행동을 살펴봅시다.

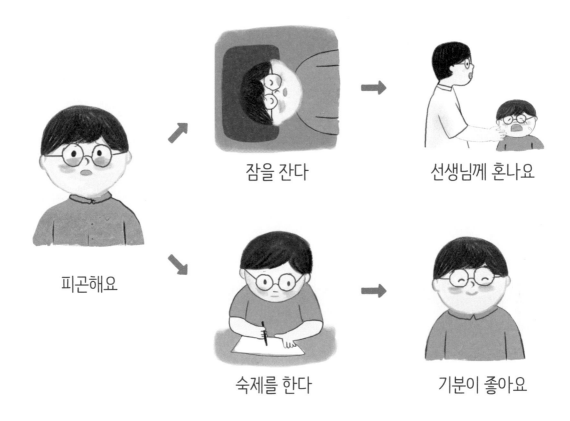

피곤해요

잠을 잔다

선생님께 혼나요

숙제를 한다

기분이 좋아요

1) 성우가 피곤해서 숙제를 안 하고 자요. 어떻게 되었어요?

2) 성우가 피곤해도 숙제를 해요. 어떻게 되었어요?

3) 여러분이라면 어떻게 할 거예요?

나는 아무리 피곤해도 숙제를 할 거예요.

나는 아무리 졸려도 공부를 할 거예요.

나는 화가 나도 나쁜 말을 하지 않을 거예요.

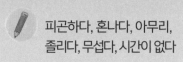

2. 잘 듣고 상황과 행동을 연결한 뒤 아래의 빈칸에 써 봅시다. ◎ 12

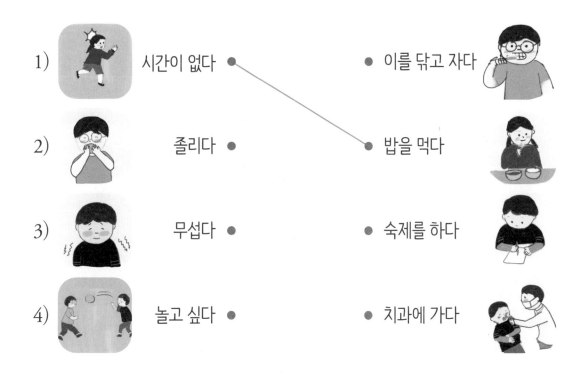

1) 시간이 없다 ● ● 이를 닦고 자다

2) 졸리다 ● ● 밥을 먹다

3) 무섭다 ● ● 숙제를 하다

4) 놀고 싶다 ● ● 치과에 가다

1) 나는 아무리 <u>시간이 없어도</u> 밥을 먹을 거예요.

2) 나는 아무리 ＿＿＿＿＿＿＿＿＿＿＿＿ 이를 닦고 잘 거예요.

3) 나는 ＿＿＿＿＿＿＿＿＿＿＿＿ 치과에 갈 거예요.

4) 나는 ＿＿＿＿＿＿＿＿＿＿＿＿ 숙제를 할 거예요.

3. 힘들어도 해야 하는 일을 말해 봅시다.

아무리 힘들어도 내 방
청소는 해야 해요.

③ 모둠 활동

1. 모둠 활동과 역할을 확인해 봅시다.

1) 저밍 모둠은 무엇을 하고 있어요?

2) 각자 맡은 역할은 뭐예요?

아비가일 _____   리암 _____

아이다 _____   저밍 _____

2. 저밍과 친구들의 역할을 〈보기〉처럼 말해 봅시다.

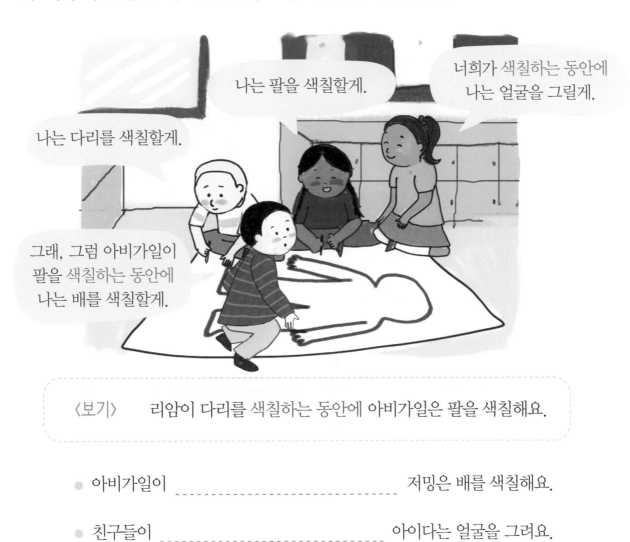

〈보기〉 리암이 다리를 색칠하는 동안에 아비가일은 팔을 색칠해요.

● 아비가일이 _____ 저밍은 배를 색칠해요.

● 친구들이 _____ 아이다는 얼굴을 그려요.

3. 우리 모둠이 함께 찰흙으로 놀이터 만들기를 합니다. 역할을 나누어 봅시다.

만들 것	시소	미끄럼틀	
만드는 사람			

4 숙제 검사

1. 대화를 읽고 써 봅시다.

1) 선생님과 아이다의 대화를 읽어 보세요.

① 아이다,
오늘 숙제는 잘했어?

② 네. 그런데 선생님께
질문이 있어요.

③ 그래? 그럼 오늘 수업 마치고
같이 이야기하자.

④ 네, 선생님.

2) 아이다의 말을 듣고 문장을 완성해 보세요. 💿 13

선생님께서 오늘 숙제를 잘
－－－－－－－－－－－－－－－－.

선생님께서 뭐라고 하셨어?

그리고 선생님께서
오늘 수업 마치고 같이
－－－－－－－－－－－－－－－－.

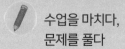

2. 다른 사람의 말을 전해 봅시다.

1) 맞는 표현을 고르세요.

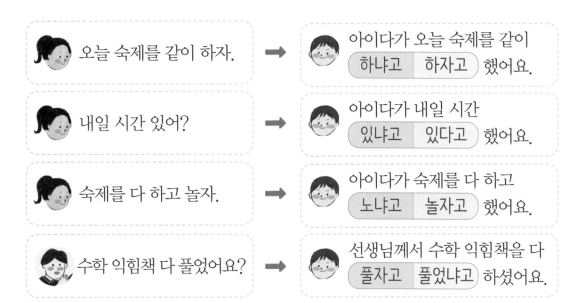

2) 1)에서 요우타가 한 말을 소리 내어 읽어 보세요.

3. '말 전하기' 놀이를 해 봅시다.

〈놀이 방법〉
① 모둠을 나눠요.
② 각 모둠 1번이 선생님의 말씀을 듣고 와요.
③ 다음 친구에게 선생님의 말씀을 전달해요.
④ 마지막 친구가 선생님의 말씀을 맞혀요.

 준비물 가지고 왔니?

 선생님께서 준비물 가지고 왔냐고 하셨어.

1. 재미있는 숙제를 읽어 봅시다.

오늘의 숙제 1

놀이공원에 가서 놀이 기구를
3개 타고 사진을 찍어 오기

오늘의 숙제 2

가족과 자전거 타기

오늘의 숙제 3

내가 노는 동안에
부모님은 숙제하기

오늘의 숙제 4

누워서 과자 먹기

1) 어떤 숙제들이 있어요?

2) 어떤 숙제가 가장 재미있어요?

2. 내가 원하는 숙제를 그림으로 그리거나 글로 써서 발표해 봅시다.

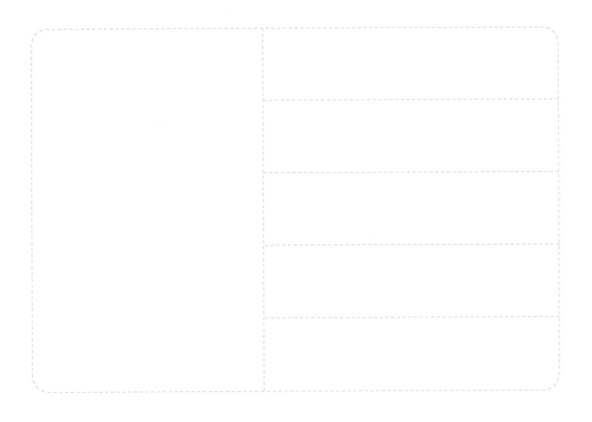

3. 가장 재미있는 숙제를 발표한 친구를 뽑아 봅시다.

제가 원하는 숙제는
치킨 두 마리 먹기입니다.
저는 치킨을 정말 좋아합니다.

6 이야기 이어 쓰기

1. 이야기를 읽어 봅시다.

하미의 아빠는 과학자입니다. 하미의 아빠는 하미의
생일 선물로 로봇을 만들어 주셨습니다. 아빠가 말씀하셨습니다.

"하미야, 네가 원하는 걸 말하면 이 로봇이 다 들어줄 거야."

"와, 정말요? 로봇아, 물 가져와."

로봇은 "네."라고 대답하고  물을 가지고 왔습니다.

아빠가 말씀하셨습니다.

"하미야, 아빠가 없는 동안 로봇이랑 잘 놀고 있어. 아빠 금방 올게."

"네. 아빠, 다녀오세요."

하미는 로봇에게 계속 말을 했습니다.

"로봇, 나하고 같이 놀자."

"네."

"로봇, 떡볶이 만들 수 있어?"

로봇은 "네."라고 말하고, 떡볶이를 만들었습니다.

'이제 또 뭘 시키지? 아, 맞다! 로봇에게 내 숙제를 시켜야겠다.'

하미는 로봇에게 말했습니다.

"로봇, 내 숙제 할 수 있어?"

로봇은 "네."라고 말하고, 알림장을 꺼내서 숙제를 보았습니다.

그리고 수학 익힘책을 풀고, 줄넘기를 했습니다.

로봇이 숙제를 하는 동안 하미는 텔레비전을 보며 아이스크림을
먹었습니다.

"로봇이 있으니까 진짜 좋다. 신난다."

그때 아빠가 집에 오셨습니다. 하미는 놀라서 벌떡 일어났습니다.

1) 하미의 아빠가 하미에게 주신 생일 선물은 뭐예요?

2) 로봇이 한 일을 모두 말해 보세요.

3) 이어질 이야기를 말해 보세요.

2. 로봇이 되어 아빠에게 하미의 말을 전달해 봅시다.

〈보기〉 "나하고 같이 놀자."

➡ 하미가 같이 놀자고 말했어요.

1) "떡볶이 만들 수 있어?"

➡ 하미가 떡볶이를 _____.

2) "내 숙제 할 수 있어?"

➡ 하미가 내 숙제를 _____.

3. 여러분이 로봇에게 시키고 싶은 것을 말해 봅시다.

로봇,

_____

_____

_____

7 다양한 독서록 쓰기

1. 《돼지책》을 읽어 봅시다.

피곳 부인은 어디에도 없었습니다.
벽난로 선반 위에 봉투가 하나 있었습니다.
피곳 씨는 그 봉투를 열어 보았습니다.
안에는 종이가 한 장 들어 있었습니다.
"너희들은 돼지야."

2. 하미가 《돼지책》을 읽고 작성한 독서록입니다. 어떤 독서록이 더 재미있는지 읽어 봅시다.

1) 기억에 남는 문장 적기

책 제목	돼지책		
날짜	2000년 월 일 (수)	작가	앤서니 브라운 (옮긴이) 허은미
기억에 남는 문장	너희들은 돼지야.		

2) 기자가 되어 등장인물 인터뷰하기

날짜	20○○년○월○일 (수)	나래신문	하미 기자
책 제목	돼지책		
오늘의 인터뷰 주인공	피곳 부인		
질문 1	혼자서 모든 일을 해야 할 때 기분이 어땠어요? ➡		
질문 2	왜 갑자기 사라졌어요? ➡		
질문 3	가족이 미운 적은 없었어요? ➡		

3. 최근에 읽은 책을 가지고 독서록을 써 봅시다.

책 속 등장인물을 소개해 보자!

초등학교   학년   반   번 이름:

책 이름 _____   읽은 날짜 _____

이름
나이
성격

특징
좋아하는 것
싫어하는 것
잘하는 것

이름
나이
성격

특징
좋아하는 것
싫어하는 것
잘하는 것

내가 읽은 책을 만화로 표현해 보자!

초등학교   학년   반   번 이름:

책 이름 _____   읽은 날짜 _____

생각 넓히기

1. 숙제의 종류를 생각해 봅시다.

2. 부록의 숙제 카드를 떼서 알맞은 칸에 놓아 봅시다. 부록

　　독서 관련 숙제

　　예체능 관련 숙제

3. 숙제 카드를 더 만들어 봅시다.

인성 관련 숙제

학습(공부) 관련 숙제

문화 체험 관련 숙제

쓰레기를 버리면 안 돼요

학습 목표
• 일상생활이나 학교에서 지켜야 할 규칙을 설명할 수 있다.
• 들은 이야기를 다른 사람에게 바르게 전달할 수 있다.

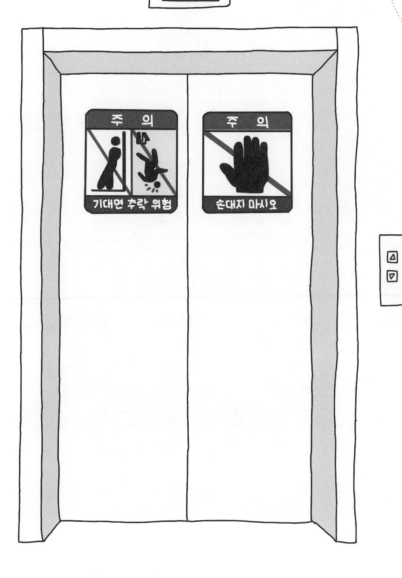

• 그림은 무슨 뜻을 나타내요?

• 학교에서는 어떤 규칙을 지켜야 해요?

공원에서 지켜야 할 규칙

1. 공원의 안내 방송을 들어 봅시다. 💿 14

  1) 어떤 안내 방송이에요?

  2) 공원에서 어떤 행동을 하면 안 돼요?

공원에서 금지하는 행동

2. 안내 방송을 다시 들으면서 안내문의 내용을 완성해 봅시다. 🔊 14

1) 나무에 올라가면 안 돼요.

2) 자전거를 ＿＿＿＿＿＿＿＿＿＿＿＿ 안 돼요.

3) 쓰레기를 ＿＿＿＿＿＿＿＿＿＿＿＿ 안 돼요.

4) 꽃을 ＿＿＿＿＿＿＿＿＿＿＿＿＿＿ 안 돼요.

5) 큰 소리로 노래를 ＿＿＿＿＿＿＿＿ 안 돼요.

| 타다 | 버리다 | 꺾다 | 부르다 |

3. 공원에서 또 어떤 행동을 하면 안 될까요? 그림을 그리고 써 봅시다.

＿＿＿＿＿＿＿＿＿＿＿＿＿＿＿＿＿＿＿＿ 안 돼요.

② 학교에서 지켜야 할 규칙

1. 학교에서 지켜야 하는 규칙을 알아봅시다.

1) 친구들이 어떻게 행동했는지 말해 보세요.

계단에서 뛰어다니면 안 돼요.

복도에서 장난치면 안 돼요.

교실에서 조용히 하세요.

오늘 뭐 해?

의자에 바르게 앉으세요.

2) 선생님께서 하신 말씀을 읽어 보세요.

계단, 뛰어다니다, 복도, 장난치다, 조용히 하다, 바르게 앉다

 –는다고 하다, –으라고 하다

2. 선생님께서 친구들에게 하신 말씀을 빈칸에 써 봅시다. 그리고 자연스럽게 말해 봅시다.

> 계단에서 뛰면 안 된다고 하셨어요.

> 복도에서 장난을 치면 _____ 다고 하셨어요.

> 교실에서 _____라고 하셨어요.

> 의자에 바르게 _____라고 하셨어요.

3. 여러분의 선생님은 어떤 말씀을 자주 하시나요? 선생님께서 하신 말씀 중에 기억에 남는 말을 써 봅시다.

우리 선생님은 _____ 하셨어요.

우리 선생님은 _____ 하셨어요.

③ 급식실에서 지켜야 할 규칙

1. 글을 읽고 내용을 알아봅시다.

학교 급식, 이렇게 해요.

급식실에 가기 전에 손을 씻습니다. 그리고 줄을 섭니다.
차례대로 급식을 받고 나서 친구들과 맛있게 먹습니다.
급식을 먹고 나서 수저와 식판을 정해진 곳에 놓습니다.
그리고

1) 빈칸에 들어갈 내용을 말해 보세요.

2) 위의 그림을 보면서 급식 순서를 말해 보세요.

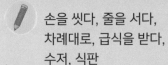

2. 〈보기〉와 같이 문장을 완성해 볼까요? 그리고 소리 내어 읽어 봅시다.

손을 씻습니다.　　줄을 섭니다.

〈보기〉

→ 손을 씻고 나서
줄을 섭니다.

1)

급식을 받습니다.　친구들과 맛있게 먹습니다.

→ _____고 나서
친구들과 맛있게 먹습니다.

2)

수저와 식판을
정해진 곳에 놓습니다.　양치질을 합니다.

→ 수저와 식판을 _____
_____고 나서
양치질을 합니다.

3. 급식을 먹고 나서 여러분은 무엇을 합니까? 밑줄 그은 부분에 여러
분이 하는 일을 써 봅시다.

급식을 먹고 나서 _____.

4 박물관에서 지켜야 할 규칙

1. 요우타와 아이다의 대화를 듣고 물음에 답해 봅시다. 💿15

1) 요우타가 내일 어디에 간다고 했어요?

2) 박물관에서 지켜야 할 규칙은 뭐라고 했어요?

2. 요우타와 아이다의 대화를 다시 들어 봅시다. 💿15

1) 대화를 듣고 밑줄 그은 부분에 들어갈 말을 쓰세요.

아이다, 아직도 아파?

이제 괜찮아. 많이 나았어.

할 말이 있어서 전화했어.

?

뭔데?

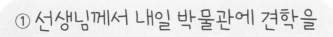
박물관, 견학을 가다,
도시락을 싸다, 시끄럽다,
떠들다, 필기도구를 챙기다

① 선생님께서 내일 박물관에 견학을

＿＿＿＿＿＿＿＿＿＿＿＿＿＿＿＿＿＿.

② 그럼 도시락을 싸야 해?

③ 아니. 견학 갔다 온 다음에
학교에서 급식을

＿＿＿＿＿＿＿＿＿＿＿＿＿＿.

④ 다른 내용은 없어?

⑤ 박물관에서는 뛰어다니거나
시끄럽게 떠들면 ＿＿＿＿＿＿＿＿＿＿＿.
그리고 필기도구를 챙겨 오라고 하셨어.

2) 친구와 역할을 나누어 대화해 보세요.

3. 박물관에서는 또 어떤 규칙을 지켜야 할까요? 그림을 보고
박물관에서 지켜야 할 주의 사항을 써 봅시다.

박물관에서는 ＿＿＿＿＿＿＿＿＿＿＿＿＿＿

＿＿＿＿＿＿＿＿＿＿＿＿＿＿＿ 안 돼요!

⑤ 역할 놀이 하기

1. 〈시골 쥐와 서울 쥐〉를 역할을 정하여 읽어 봅시다.

1) 시골 쥐와 서울 쥐 역할을 정하세요.

2) 시골 쥐와 서울 쥐의 말을 실감 나게 읽어 보세요.

2. 〈시골 쥐와 서울 쥐〉의 내용을 바꾸어 써 봅시다.

1) 빈칸에 서울 쥐와 시골 쥐의 말을 새롭게 써 보세요.

2) 시골 쥐와 서울 쥐의 말을 실감 나게 읽어 보세요.

3. 〈시골 쥐와 서울 쥐〉 손가락 인형을 만들어 역할 놀이를 해 봅시다. 부록

⑥ 안내문 읽고 쓰기

1. 안내문을 읽어 봅시다.

학교 규칙을 잘 지킵시다!

요즘 학교에서 규칙을 지키지 않는 어린이들이 있습니다.
어린이 여러분! 우리 모두 다 같이 노력해서 아름답고 안전한
나래초등학교를 만들어 봅시다!

○ 이렇게 합시다 ○

1. 복도에서는 오른쪽으로 걸어야 해요.

2. 화단의 꽃을 꺾으면 안 돼요.

3. 계단에서는 뛰지 말고 걸어 다녀야 해요.

4. 운동장에 쓰레기를 버리면 안 돼요.

5. _____ 안 돼요.

20○○년 ○월 ○일

나 래 초 등 학 교 장

1) 교장 선생님께서 왜 안내문을 쓰셨어요?

2) 교장 선생님께서 어떤 학교를 만들자고 하셨어요?

3) 그림을 보고 교장 선생님께서 하신 말씀을 쓰세요.

복도에서는 오른쪽으로 걸어야 해요.			운동장에 쓰레기를 버리면 안 돼요.

2. 학교에서 또 어떤 규칙을 지켜야 할까요? 안내문에 들어갈 내용을 써 봅시다.

3. 안내문을 크게 소리 내어 읽어 봅시다.

1. 친구들이 교실에서 무엇을 하고 있어요? 교실에서 하지 말아야 할 행동을 찾아 붙임 딱지를 붙여 봅시다. `붙임 딱지`

친구와 사이좋게 이야기하다   욕을 하며 싸우다

바르게 앉아서 공부하다

수업에 집중하지 않다

바른 자세로 책을 읽다

책상에 엎드려 있다

2. 우리 교실에 필요한 금지 행동 표지판을 만들어 봅시다.

　　1) 어떤 행동을 하면 안 될까요?

　　2) 금지 행동 표지판을 완성해 보세요.

　　　　　　　　　　　　안 돼요.　　　　　　　　　　　　안 돼요.

　　　　　　　　　　　　안 돼요.　　　　　　　　　　　　안 돼요.

3. 여러분이 만든 금지 행동 표지판을 친구들과 비교해 봅시다.

1. 선생님과 함께 지진이 났을 때 어떻게 행동해야 하는지 살펴봅시다.

지진 때문에 바닥이 흔들리면
탁자 아래로 들어가요.

전기와 가스를 막고 문을 열어요.

엘리베이터를 타지 말고
계단으로 빨리 내려가요.

가방이나 손으로 머리를 보호해요.

운동장이나 공원처럼
넓은 곳으로 가요.

방송을 듣고 행동해요.

2. 지진이 났을 때 어떻게 행동해야 하는지 퀴즈를 풀어 볼까요?
맞으면 ○, 틀리면 × 표시를 해 봅시다.

1) 지진으로 바닥이 흔들리면 탁자 아래로 들어가요.   (   )

2) 지진이 일어나면 빨리 전기와 가스를 막아요.   (   )

3) 건물 밖으로 나갈 때는 엘리베이터를 타요.   (   )

4) 건물 밖에서는 손으로 머리를 보호해야 해요.   (   )

5) 운동장처럼 넓은 곳으로 가야 해요.   (   )

6) 방송을 듣고 행동해요.   (   )

3. 학교에 있을 때 지진이 나면 어떻게 해야 할까요? 〈보기〉에서
찾아 써 봅시다. 그리고 실제로 연습해 봅시다.

> 〈보기〉   책상   다리   질서   운동장

지진이 나면 ＿＿＿＿＿＿ 아래로 들어가
책상 ＿＿＿＿＿＿를 꼭 잡습니다.
흔들림이 멈추면 ＿＿＿＿＿를 지키며
＿＿＿＿＿＿으로 대피합니다.

교실에서 휴대 전화를 꺼 주세요

· 휴대 전화로 어떤 일을 할 수 있어요?

· 문자 메시지를 보낼 때 지켜야 하는 예절에는 어떤 것이
  있어요?

① 전화

1. 전화할 때 사용하는 표현을 알아봅시다.

전화를 걸다

벨이 울리다

여보세요.

전화를 받다
통화하다

전화를 바꿔 주다

할머니, 그동안
안녕하셨어요?

안부를 묻다

전화를 끊다

   1) 사람들이 무엇을 하고 있어요?

   2) 전화 표현을 따라 쓰고 읽어 보세요.

2. 듣고 말해 봅시다. 🎧 16

1) 대화를 잘 듣고 지민이가 내일 할 일을 말해 보세요.

2) 할머니의 질문에 지민이처럼 답해 보세요.

내일은 뭐 하니?

내일 엄마랑 박물관에 가요.
학교에 안 가는 날이거든요.

① 생일 파티, 친구 생일이다
② 도서관, 책을 빌려야 하다
③ 친구 집, 숙제를 해야 하다

3. 친구와 함께 전화를 해 본 경험을 이야기해 봅시다.

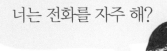

너는 전화를 자주 해?

응, 난 국제 전화를 자주 해.
할머니, 할아버지께서 다른
나라에 사시거든.

1. 대화를 들어 봅시다.  17

인터넷: 인터넷을 하다

계산기: 계산하다

문자: 문자를 보내다

전화: 전화를 하다

알람: 알람을 맞추다

카메라: 사진을 찍다

재생 버튼: 노래를 듣다

1) 하미와 저밍은 무엇에 대해 이야기하고 있어요?

2) 알람이 있으면 뭐가 좋아요?

3) 여러분이 휴대 전화로 가장 해 보고 싶은 건 뭐예요?

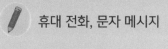
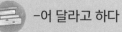
2. 문자 메시지의 내용을 전해 봅시다.

〈보기〉

하미, 내일 책 좀 빌려줘.

저밍이 내일 책을 빌려 달라고 했어요.

1)

하미, 숙제 좀 도와줘.

저밍이 _____.

2)

하미, 나 사진 좀 찍어 줘.

저밍이 _____.

3)

엄마, 휴대 전화 사 주세요.

저밍이 _____.

4)

아빠, 맛있는 거 해 주세요.

저밍이 _____.

3. 친구에게 부탁받은 일이 있어요? 부탁받은 일을 말해 봅시다.

청소를 좀 도와줘.

친구가 _____ 달라고 했어요.

③ 인터넷 대화 예절

1. 인터넷 대화를 읽어 봅시다.

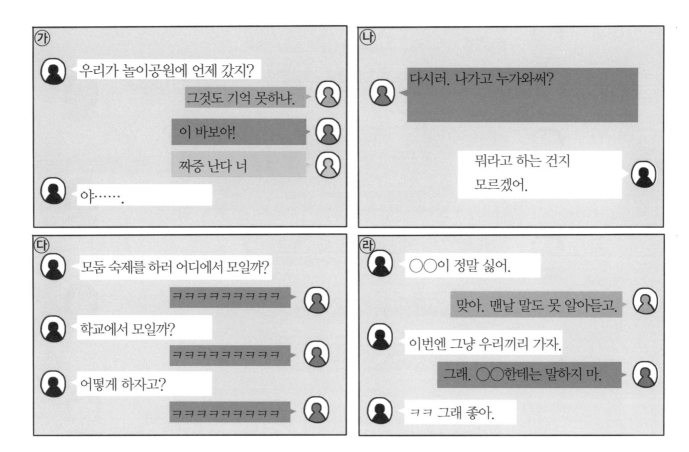

1) 위의 대화에서 어떤 부분이 문제인지 생각해 보세요.

2) 다음 설명과 관계있는 대화창 번호를 쓰세요.

① 인터넷 대화에서 한 사람을 따돌린다.	라
② 질문을 하는데 계속 ㅋㅋㅋㅋ만 한다.	
③ 친구들이 나쁜 말을 하거나 욕을 한다.	
④ 맞춤법이 다 틀렸다.	

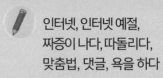

인터넷, 인터넷 예절,
짜증이 나다, 따돌리다,
맞춤법, 댓글, 욕을 하다

 -으면 어떡해, -어야지

2. 친구에게 인터넷 대화 예절에 대해 말해 봅시다.

〈보기〉
인터넷 대화에서
한 사람을 따돌린다.

한 사람을 따돌리면 어떡해.
사이좋게 지내야지.
(사이좋게 지내다)

1) 계속 ㅋㅋㅋㅋ만 한다. ➡

(질문에 대답을 하다)

2) 나쁜 말을 하거나 욕을 한다. ➡

(예쁜 말을 하다)

3) 맞춤법을 틀리게 쓴다. ➡

(정확하게 쓰다)

3. 댓글을 쓰는 친구에게 하고 싶은 말을 써 봅시다.

누가 쓰는지 모르는데
내 맘대로 쓸 거야.

마음대로 쓰면 어떡해.

④ 휴대 전화 사용 예절

1. 그림을 보고 지켜야 할 일을 〈보기〉에서 골라 봅시다.

〈보기〉

① 영화관에서는 휴대 전화를 꺼 주세요.

② 버스에서는 작은 소리로 통화해 주세요.

③ 수업 시간에는 휴대 전화를 꺼내지 마세요.

④ 길을 걸을 때는 휴대 전화를 보지 마세요.

2. 휴대 전화를 사용할 때 지켜야 할 일들을 생각해 봅시다.

1) 장소에 따라 지켜야 할 일을 말해 보세요.

| 학교 | 영화관 | 길 | 미술관 | 화장실 |

2) 다음 장소에서 지켜야 할 예절을 써 주세요.

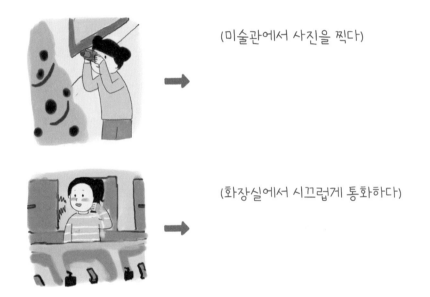

(미술관에서 사진을 찍다)

→

(화장실에서 시끄럽게 통화하다)

→

3. 휴대 전화를 잘 사용하는 방법에 대해 생각해 봅시다.

가방에 넣고
꺼내지 않아요.

학교에 오면 휴대 전화를
선생님께 내요.

5 휴대 전화로 할 수 있는 일

1. 저밍과 하미의 대화를 잘 듣고 답해 봅시다. 🎧 18

1) 다음 그림들 중에서 하미의 행동을 찾아보세요.

동영상을 보다　　　　댓글을 달다　　　　문자를 보내다

2) 하미는 무엇을 하고 있어요?

3) 저밍이 이어서 할 말을 〈보기〉에서 골라 보세요.

<보기>
① 나도 엄마 휴대 전화로 만화 보는 거 좋아해.
② 댓글은 잘 생각해서 달아야겠다. 다른 사람이 기분 나쁠 수도 있으니까.
③ 문자를 보내는 게 어때?

2. 휴대 전화로 할 수 있는 일에 대해 이야기해 봅시다.

1) 휴대 전화로 할 수 있는 일은 뭐가 있어요?

2) 그림을 보고 〈보기〉처럼 말해 보세요.

> 〈보기〉
>
> 성우: 뭐 해?
> 아비가일: 엄마랑 인터넷으로 물건을 사고 있어.

① 집에서 물건을 사요.

② 일기 예보를 봐요.

③ 동영상을 봐요.

④ 전화를 해요.

⑤ 친구와 문자를 주고받아요.

⑥ 게임을 해요.

3. 여러분은 휴대 전화로 무엇을 제일 많이 해요? 이야기해 봅시다.

> 저는 _____을/를 제일 많이 해요.
>
> 왜냐하면 _____.

문자 메시지 읽고 쓰기

1. 문자 메시지를 읽어 봅시다.

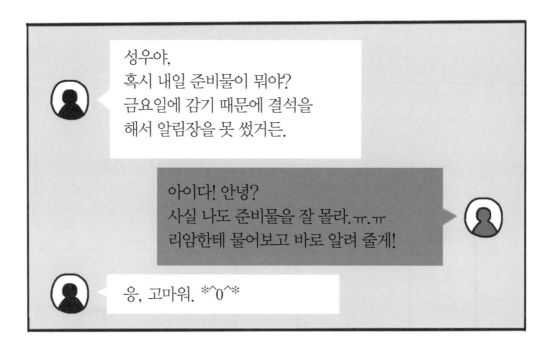

성우야,
혹시 내일 준비물이 뭐야?
금요일에 감기 때문에 결석을
해서 알림장을 못 썼거든.

아이다! 안녕?
사실 나도 준비물을 잘 몰라.ㅠ.ㅠ
리암한테 물어보고 바로 알려 줄게!

응, 고마워. *^0^*

1) 아이다는 왜 금요일에 학교에 못 갔어요?

2) 성우는 준비물이 뭔지 알아요? 그래서 어떻게 할 거예요?

3) 성우가 되어 리암에게 문자 메시지를 써 보세요.

리암, 안녕?

2. 저밍이 선생님께 쓴 문자 메시지를 읽고, 저밍이 잘못한 것을 말해 봅시다.

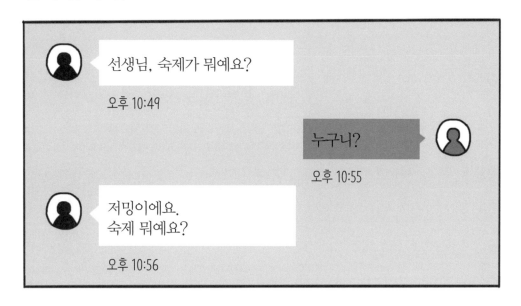

선생님, 숙제가 뭐예요?
오후 10:49

누구니?
오후 10:55

저밍이에요.
숙제 뭐예요?
오후 10:56

너무 늦게 문자를 보냈어요.

자기가 누구인지 먼저 이야기하지 않았어요.

인사도 안 하고 자기 할 말만 했어요.

3. 여러분이 저밍이라면 선생님께 어떻게 문자 메시지를 보낼지 써 봅시다.

⑦ 일기 읽고 말하기

1. 저밍의 일기를 읽어 봅시다.

2월 7일 화   날씨: 맑음

제목: 하미의 새 휴대 전화

하미가 오늘 새 휴대 전화를 가지고 왔다. 나도 엄마에게 사 달라고 했지만, 엄마는 아직 어려서 안 된다고 하셨다. 그래서 하미가 정말 부러웠다.
하미는 휴대 전화로 알람도 하고, 문자도 보낼 수 있다고 했다.
나도 얼른 자라서 휴대 전화를 사고 싶다.

1) 저밍은 왜 하미가 부러웠어요?

2) 엄마는 저밍에게 왜 휴대 전화를 사 주지 않으셨어요?

3) 하미 휴대 전화로 할 수 있는 일들은 뭐예요?

2. 글을 읽고 나의 모습과 비슷한 부분을 말해 봅시다.

2월 10일 금   날씨: 비
제목: 휴대 전화 사고

　오늘 학교를 마치고 집에서 휴대 전화를 보고 있었다. 엄마가 숙제를 안 하고 휴대 전화만 본다고 혼을 내셨다.
　오빠는 집에 오면서 휴대 전화를 보다가 넘어졌다. 무릎에서 피가 났고 엄마에게 혼이 났다. 엄마가 화가 많이 나셨다.
　휴대 전화를 사용할 때 조심해야겠다.

3. 휴대 전화를 사용할 때 꼭 지켜야 할 일을 써 봅시다.

● 길을 걸을 때 _____.

● 할 일을 먼저 하고 휴대 전화를 사용해요.

● 하루 동안 시간을 정해 놓고 해요.

● 잘 때는 _____.

8 생각 넓히기

1. 그림말에 대해 알아봅시다.

1) 그림말이 뭐예요?

인터넷이나 휴대 전화의 대화에서
자신의 기분이나 생각을 전하기 위해서
사용하는 특별한 기호예요.

2) 그림말에는 어떤 것이 있어요? 선생님과 같이 읽어 보세요.

*^ㅁ^*	기뻐요	ㅠ.ㅠ	슬퍼요
-_-	재미없어요	-_-;;	당황스러워요
>_<	신나요	O_O	놀랐어요
-_-	부끄러워요	◎_◎	어지러워요

3) 이외에도 어떤 그림말들이 있는지 더 찾아보세요.

2. 그림말을 사용할 때 주의할 점에 대해 살펴봅시다.

1) 그림말의 좋은 점과 주의할 점이 뭘까요?

내 마음이나 기분을 더 잘 표현할 수 있어.

어른께 보낼 때는 어울리지 않아.

2) 무엇을 더 주의해야 할까요?

너무 많이 쓰면 좋지 않아요.

사람들마다 다르게 이해할 수 있어요.

3. 그림말을 사용해서 친구에게 문자 메시지를 써 봅시다.

경찰이 되었으면 좋겠어요

- 여러분 주위 사람들의 직업은 뭐예요?
- 여러분이 알고 있는 직업은 뭐예요?

① 우리 이웃의 직업

1. 우리 이웃에는 어떤 일을 하는 사람들이 살고 있는지 이야기해 봅시다.

1) 아래 이름의 빈칸에 직업 이름을 붙여 보세요. 붙임 딱지

2) 직업 이름 왼쪽에 하는 일 번호를 쓰세요.

> ① 불을 꺼요. 　② 회사에서 일해요.
>
> ③ 도둑을 잡아요. 　④ 학교에서 학생들을 가르쳐요.
>
> ⑤ 아픈 사람의 병을 치료해요. 　⑥ 의사하고 같이 아픈 사람들을
>
> ⑦ 맛있는 음식을 만들어요. 　　도와줘요.

2 [붙임 딱지]

[붙임 딱지]

[붙임 딱지]

2. 하는 일을 잘 듣고 직업을 말해 봅시다. 🔘 19

3. 직업에 대해 묻고 대답해 봅시다.

경찰관은 어떤 일을 해?

나쁜 사람들을 잡아.

[붙임 딱지]

[붙임 딱지]

[붙임 딱지]

[붙임 딱지]

② 나의 꿈

1. 아비가일의 꿈을 들어 봅시다. 💿 20

　1) 아비가일의 아빠는 어떤 일을 하세요?

　2) 아비가일은 무엇이 되고 싶어요? 왜 되고 싶어요?

2. 아비가일과 아빠의 대화를 따라 해 봅시다.

　1) 대화를 다시 듣고 써 보세요. 💿 20

　　아비가일: 아빠, 저는 아빠처럼 경찰관이 되었으면 좋겠어요.
　　아빠: 너는 왜 경찰관이 되고 싶은데?
　　아비가일: 도둑을 잡고 착한 사람들을 보호하고 싶어서요.
　　아빠: 그래? 좋은 생각이야. 나도 네가 꼭 좋은 경찰관이

　　--

　2) 말하는 것처럼 대화를 따라 해 보세요.

3. 그림을 보고 대화를 해 봅시다.

1) 엄마: 의사

2) 엄마: 소방관

3) 아빠: 요리사

4) 아빠: 간호사

저도 엄마/아빠처럼 _____ .

너는 왜 _____ 이/가 되고 싶은데?

_____ 고 싶어서요.

그래? 좋은 생각이야. 나도 네가 꼭 훌륭한

_____ .

1. 친구들과 같이 직업 체험을 갔습니다. 여러분은 어떤 체험을 하고
   싶습니까?

방송국 체험

운동선수 체험

수의사 체험

비행기 조종사 체험

2. 친구에게 체험을 하자고 말해 봅시다.

1) 친구들이 하는 말을 듣고 체험 장소를 찾아보세요. 🔘 21

2) 친구들이 하는 말을 따라 해 보세요.

번호표를 받고
2층으로
올라가세요.

3. 체험하는 방법을 물어보고 대답해 봅시다.

운동선수 체험을
하려면 어떻게 해야 해?

앉아서 기다리면 돼.

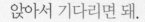

방송국 체험	여기에서 줄을 서다
수의사 체험	번호표를 받고 기다리다
비행기 조종사 체험	2층으로 올라가다

4 장래 희망 발표

1. 하미의 글을 읽어 봅시다. 하미는 무엇이 되고 싶어 합니까?

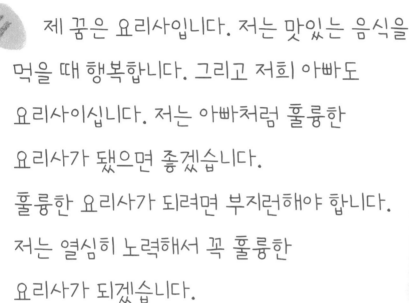

안녕하세요. 저는 1학년 1반 하미입니다.
    제 꿈은 요리사입니다. 저는 맛있는 음식을
먹을 때 행복합니다. 그리고 저희 아빠도
요리사이십니다. 저는 아빠처럼 훌륭한
요리사가 됐으면 좋겠습니다.
훌륭한 요리사가 되려면 부지런해야 합니다.
저는 열심히 노력해서 꼭 훌륭한
요리사가 되겠습니다.

2. 여러분의 장래 희망을 발표해 봅시다.

1) 친구와 장래 희망을 이야기하세요.

난 아빠처럼 훌륭한
경찰관이 됐으면 좋겠어.

넌 장래 희망이 뭐야?

2) 여러분의 장래 희망을 글로 쓰고, 모습을 그림으로 그려 보세요.

안녕하세요.

저는 _____학년 _____반

_____입니다.

저의 꿈은 _____입니다.

저는 _____을/를

좋아하기 때문입니다. _____

_____

3) 여러분의 장래 희망을 크게 읽어 보세요.

3. 친구들 앞에서 장래 희망을 발표해 봅시다. 친구들의 발표를 듣고
질문해 봅시다.

언제부터 요리사가
되고 싶었어요?

어떤 음식을
만들 수 있어요?

⑤ 성우의 꿈 읽기

1. 성우의 꿈을 읽어 봅시다.

엄마, 저는 나중에 커서 버스가 됐으면 좋겠어요.

세 살

엄마, 제 꿈이 바뀌었어요. 택배 기사가 되고 싶어요. 선물을 많이 받고 싶어요.

택배

네 살

저는 나중에 아빠처럼 키가 큰 아빠가 되고 싶어요. 키가 큰 아빠가 되려면 어떻게 해야 해요?

여섯 살

여덟 살

2. 성우의 꿈을 말해 봅시다.

저는 나중에 커서 버스가 됐으면 좋겠어요.

| 버스 | 택배 기사 | 키가 큰 아빠 | |

3. 친구와 이야기해 봅시다.

1) 친구와 장래 희망을 이야기하세요.

넌 꿈이 뭐야?

2) 지금보다 어릴 때 꿈이 기억나는지 물어보세요.

여섯 살 때 꿈이 뭐였어?

(   )의 꿈

----

1. 이야기를 읽어 봅시다.

옛날에 고양이가 되고 싶은
강아지가 살았어요.
"나는 고양이가 됐으면 좋겠어."

강아지 친구들이 물었어요.
"너는 왜 고양이가 되고 싶어?"
"나는 고양이처럼 높은 곳에서
뛰어내리고 싶어."

그 옆에는 강아지가 되고 싶은 고양이도 살았어요.
"나는 강아지가 됐으면 좋겠어."

고양이 친구들이 물었어요.
"너는 왜 강아지가 되고 싶어?"
"나는 강아지처럼 "멍멍" 짖고 싶어."

고양이처럼 높은 곳에서 뛴 강아지는
다리가 부러졌어요.

그리고 강아지처럼 "멍멍" 짖은 고양이는…….

2. 이야기를 다시 읽고 물음에 답해 봅시다.

　　1) 강아지는 왜 고양이가 되고 싶어 해요?

　　2) 고양이는 왜 강아지가 되고 싶어 해요?

　　3) 고양이는 마지막에 어떻게 되었을까요?

3. 친구와 이야기해 봅시다.

　　1) 알고 있는 동물을 말해 보세요.

> 〈보기〉　　　호랑이　　사자　　토끼　　악어　　여우

　　2) 동물들의 특징을 말해 보세요.

> 호랑이는 정말 힘이 세.
> 나는 호랑이처럼 힘이 세지고 싶어.

힘이 세지다

똑똑해지다

빨리 움직이다

깡충깡충 뛰다

수영을 잘하다

1. 다음 친구들이 잘하는 것을 말해 봅시다.

2. 다음 설명을 읽고 알맞은 그림을 위에서 찾아봅시다. 그리고 친구에게 무엇을 잘하는지 물어봅시다.

③ 발표를 시작하겠습니다.

④

3. ①~④번의 사람과 어울리는 직업을 찾아봅시다.

1) 어울리는 직업을 〈보기〉에서 골라 보세요.

〈보기〉	선생님	간호사	운동선수	의사
	경찰관	소방관	요리사	회사원

2) 왜 그렇게 생각하는지 말해 보세요.

주위를 깨끗하게 정리하는 사람은
간호사가 됐으면 좋겠어요. 왜냐하면……

1. 미래에 인기가 더 많아질 직업들입니다. 그림을 보고 어떤 일을 하는지 생각해 봅시다.

① 우주 비행사

② 프로 게이머

2. 미래에 인기가 더 많아질 직업에 대해 알아봅시다.

1) 다음 설명을 읽고 알맞은 그림의 번호를 써 보세요.

로봇을 만들어요.

게임을 연습해요.

우주를 비행해요.

전기 자동차를 만들고 고쳐요.

휴대 전화 앱을 개발해요.

인터넷에 자기가 만든 동영상을 올려요.

③ 인터넷 1인 방송인

④ 로봇 과학자

⑤ 전기 차 기술자

⑥ 휴대 전화 앱 개발자

2) 여러분은 어떤 직업에 관심이 있어요? 친구와 이야기해 보세요.

3. 여러분이 배운 직업 이름을 가지고 게임을 해 봅시다. 부록

〈놀이 방법〉

① 빨간색 카드(직업 이름)와 파란색 카드(하는 일)를 글자가 아래로 가게 뒤집어 놓아요.

② 짝이 맞으면 문장을 만들고 카드를 가져가요.
예) 경찰관이 도둑을 잡아요.

③ 많은 카드를 가져간 사람이 승리!

선택 1

5 역할 놀이 하기
6 생활 계획표 만들기
7 새해 계획 조사하기
8 생각 넓히기

필수

1 여행 계획
2 방학 계획
3 생활 계획표
4 새해 다짐 일기

선택 2

학습 도구
한국어

8
방학에 할머니 댁에 갈 것 같아요

학습 목표
- 미래의 계획에 대해 이야기할 수 있다.
- 앞으로 할 일의 계획을 세우고 실천을 다짐할 수 있다.

- 방학 때 무엇을 하기로 했어요?
- 새해 계획은 뭐예요?

① 여행 계획

1. 요우타와 엄마의 대화를 들어 봅시다. 🎧 22

할머니를 뵈러 가는 김에
일본 여행도 할 계획이야.

와, 신난다!

1) 요우타와 엄마는 무슨 이야기를 해요?

2) 일본에 가서 무엇을 할 계획이에요?

뵙다, 일본,
친구를 만나다, 친척

-는 김에

2. 요우타의 엄마는 어떤 일과 어떤 일을 같이 하고 싶어 해요?
〈보기〉와 같이 문장을 만들어 봅시다.

〈보기〉　할머니를 뵈러 가다. ✚ 일본 여행을 하다.

➡ 할머니를 뵈러 가는 김에 일본 여행도 할 계획이야.

　　　할머니를 뵈러 가다. ✚ 친구를 만나다.

1) ➡ 할머니를 뵈러 가는 김에 ＿＿＿＿＿＿＿＿＿＿＿ 계획이야.

　　　할머니를 뵈러 가다. ✚ 다른 친척을 만나다.

2) ➡ ＿＿＿＿＿＿＿＿＿ 가는 김에 ＿＿＿＿＿＿＿＿ 계획이야.

3. 할머니나 할아버지께 문자 메시지를 보내 볼까요? 어떤 내용을
보낼지 써 봅시다.

2 방학 계획

1. 대화를 듣고 친구들이 방학 때 무엇을 할 계획인지 알아봅시다. 🎧23

1) 선생님께서 뭐라고 물어보셨어요?

2) 친구들은 무엇을 할 것 같아요?

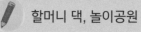

2. 〈보기〉와 같이 방학 계획에 대해 친구와 함께 묻고 답해 봅시다.

〈보기〉

가: 너는 방학에 뭐 할 거야?
나: 나는 할머니 댁에 갈 것 같아.

가족 여행

박물관

놀이공원

3. 여러분은 방학 때 무엇을 할 계획인지 말해 봅시다.

저는 방학 때

---------------------- 것 같아요.

③ 생활 계획표

1. 생활 계획표를 만들어 본 적이 있어요? 성우의 방학 생활 계획을
   살펴봅시다.

1) 성우는 몇 시에 일어나요? 또 몇 시에 자요?

2) 방학 숙제는 언제 해요?

3) 저녁을 먹고 나서 무엇을 해요?

2. 성우 입장이 되어 (　　　) 안에 알맞은 말을 써 봅시다. 그리고
친구와 함께 질문과 대답을 해 봅시다.

질문	대답
1) 아침 먹고 나서 무엇을 하기로 했어?	(　　　)을/를 하기로 했어.
2) 방학 숙제를 하고 나서 무엇을 하기로 했어?	(　　　)을/를 읽기로 했어.
3) 점심을 먹고 나서 무엇을 하기로 했어?	(　　　)을/를 갖기로 했어.
4) 학원을 갔다 와서 무엇을 하기로 했어?	(　　　)을/를 배우기로 했어.
5) 텔레비전을 보고 나서 무엇을 하기로 했어?	(　　　)을/를 쓰기로 했어.

3. 자유 시간에는 무엇을 하면 좋을지 말해 봅시다.

좋을 것 같아요.

④ 새해 다짐 일기

1. 아이다가 새해를 맞이하며 쓴 일기를 읽어 봅시다.

2○○○년 1월 1일   날씨: 맑음

제목: 새해 계획

오늘은 새해의 첫날이다. 나는 새해를 맞이하여 새로운 계획을 세우고 싶다. 나는 새해에 더욱 건강해지고 싶기 때문에 줄넘기를 열심히 할 것이다.

그리고 한국어 실력이 부족하기 때문에 하루에 한 시간씩 한국어 공부를 할 계획이다.

1) 언제 쓴 일기예요?

2) 아이다의 새해 계획을 쓰세요.

나는 새해에 더욱 _____기 때문에
줄넘기를 열심히 할 것이다.

한국어 실력이 _____기 때문에
하루에 한 시간씩 한국어 공부를 할 계획이다.

새해를 맞이하다, 일기를 쓰다, 계획을 세우다, 한국어 실력, 부족하다

−기 때문에

2. 〈보기〉와 같이 여러분의 새해 계획을 써 봅시다.

〈보기〉　더욱 건강해지고 싶다.　➡　줄넘기를 열심히 할 것이다.

➡

➡

3. 여러분의 새해 계획을 다짐하는 일기를 써 봅시다.

20○○년 ○월 ○일　날씨: _____

제목: _____

오늘은 새해의 첫날이다. 새로운 계획을 세우고 싶다.

나는 새해에 _____기 때문에

_____.

그리고 _____기 때문에

_____.

⑤ 역할 놀이 하기

1. 요우타와 아이다의 대화를 듣고 물음에 답해 봅시다. 🎧 24

    1) 요우타와 아이다는 무엇에 대해 이야기해요?

    2) 요우타는 방학 때 뭐 하기로 했어요?

2. 대화를 다시 듣고, 빈칸에 알맞은 내용을 써서 대화를 완성해 봅시다. 🎧 24

요우타, ＿＿＿＿＿ 때
뭐 하기로 했어?

＿＿＿＿＿＿를 뵈러
가기로 했어.

어디로 가는데?

할머니께서 일본에
계시기 때문에 일본으로
갈 거야.

응, ＿＿＿＿＿ 도
그렇게 말씀하셨어.

좋겠다. 할머니를 뵈러 가는 김에
＿＿＿＿＿ 도 하면 되겠네.

3. 그림을 보고 역할을 정하여 대화해 봅시다.

    1) 아이다와 요우타 역할을 정해 대화를 해 보세요.

    2) 서로 역할을 바꾸어 대화를 해 보세요.

    3) 할머니께서 계신 곳을 바꾸어 대화를 해 보세요.

할머니께서 일본에 계시기 때문에 일본으로 갈 거야.

할머니께서

                 에 계시기 때문에

                  로/으로 갈 거야.

6 생활 계획표 만들기

1. 방학 때 하루를 어떻게 보낼 거예요? 친구와 함께 생활 계획에
   대해 이야기해 봅시다.

친구: 질문	나: 대답
① 몇 시에 일어날 거야?	_____ 시에 일어날 거야.
② 아침은 몇 시에 먹을 거야?	_____ 시에 먹을 거야.
③ 아침 먹고 나서 무엇을 할 거야?	_____ 고 싶어.
④ 점심은 몇 시에 먹을 거야?	_____ 시에 먹을 거야.
⑤ 점심 먹고 나서 무엇을 할 거야?	_____ 고 싶어.
⑥ 저녁은 몇 시에 먹을 거야?	_____ 시에 먹을 거야.
⑦ 저녁 먹고 나서 무엇을 할 거야?	_____ 고 싶어.
⑧ 몇 시에 잘 거야?	_____ 시에 잘 거야.
⑨	_____
⑩	_____
⑪	_____
⑫	_____
⑬	_____

2. 친구와 이야기한 내용을 중심으로 생활 계획표를 만들어 봅시다.

3. 친구가 만든 생활 계획표와 비교해 봅시다.

1) 어떤 점이 같아요?

2) 어떤 점이 달라요?

7 새해 계획 조사하기

1. 새해를 맞아 어떤 계획을 했어요? 여러분이 계획한 내용을 말해 봅시다.

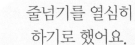

줄넘기를 열심히 하기로 했어요.

한국어를 열심히 공부하기로 했어요.

운동을 열심히 하기로 했어요.

할머니를 뵈러 일본에 가기로 했어요.

저는 새해에 …….

저는 새해에 …….

2. 친구들은 무엇을 계획했어요? 친구들에게 물어보고 계획한 내용을 적어 봅시다.

나는 태권도를 배우기로 했어.

친구 이름	계획 1	계획 2
○ ○	태권도 배우기	한국어 공부하기

3. 새해에 친구들이 하고 싶어 하는 일을 친구들이 많이 말한 순서 대로 써 봅시다.

①

②

③

8 생각 넓히기

1. 세계 여러 나라 학교의 개학과 방학에 대해 알아봅시다.

나라	학년 시작과 끝	방학	특징
대한민국	3월~2월	여름 방학 겨울 방학 봄 방학	여름 방학과 겨울 방학이 길다.
	9월~8월	가을 방학 겨울 방학 봄 방학 여름 방학	여름 방학이 길다.
	4월~3월	여름 방학 겨울 방학 봄 방학	여름 방학이 길다.
	6월~5월	여름 방학 겨울 방학	여름 방학이 길다.
	9월~8월	여름 방학 겨울 방학	여름 방학이 길다.

1) 어느 나라 국기인지 써 보세요.

2) 3월에 새 학년이 시작되는 나라는 어디예요?

3) 세계 여러 나라의 방학에 어떤 공통점이 있어요?

2. 여러분 학교는 언제 방학을 해요? 그리고 언제 개학을 해요? 달력에 표시해 봅시다.

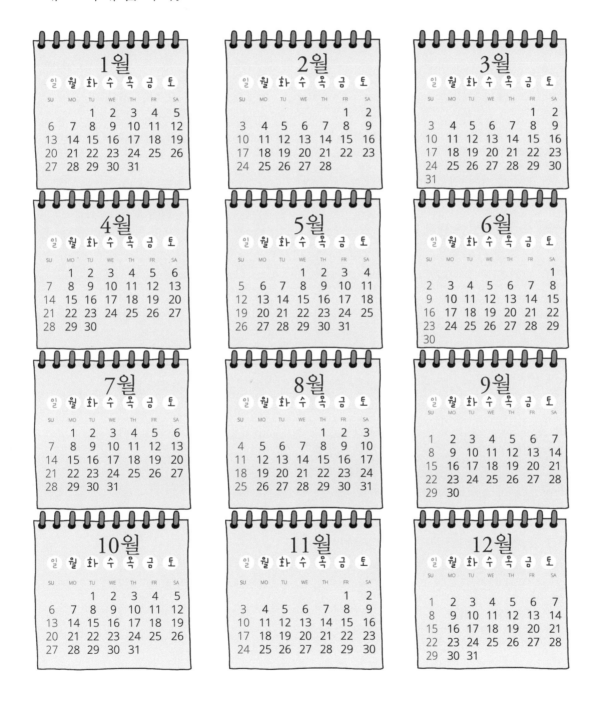

3. 한국 학교의 개학과 방학에 대하여 소개해 봅시다.

듣기 지문

1단원 · 뛰다가 넘어졌어요

1. 보건실

Track 1

머리 어깨 무릎 발 무릎 발

머리 어깨 무릎 발 무릎 발 무릎

머리 어깨 발 무릎 발

머리 어깨 무릎 귀 코 귀

Track 2

1) 보건 선생님: 어디가 아파요?
   저밍: 어깨가 아파요.

2) 보건 선생님: 어디가 아파요?
   저밍: 목이 아파요.

3) 보건 선생님: 어디가 아파요?
   저밍: 팔이 아파요.

4) 보건 선생님: 어디가 아파요?
   저밍: 배가 아파요.

3. 증상

Track 3

1) 아이다: 아빠, 눈이 간지럽고 아파요.
   아빠: 눈병인 것 같은데, 눈을 만지지 마라.

2) 아이다: 엄마, 이가 아파서 밥을 못 먹겠어요.
   엄마: 충치인 것 같은데 치과에 가 보자.

3) 저밍: 아빠, 배가 아프고 설사를 해요.
   아빠: 배탈이 난 것 같은데 약을 먹자.

5. 감기 증상 말하기

Track 4

리암: 엄마, 자꾸 콧물이 나요.

엄마: 감기인 것 같은데, 병원에 가 보자. 기침도 하니?

리암: 아니요, 기침은 안 해요.

8. 생각 넓히기

Track 5

여보세요 여보세요 배가 아파요.

배 아프고 열이 나니 어떡할까요.

어느 어느 병원에 가야 할까요.

여보세요 여보세요 나는 의사요.

배 아프고 열이 나면 빨리 오세요.

여기는 소아과 병원입니다.

2단원 · 수영을 할 줄 알아요

2. 배우고 싶은 것

Track 6

요우타: 아이다, 수업 끝나고 나랑 같이 자전거 탈래?

아이다: 미안해. 수업 끝나자마자 방과 후 교실에 가야 해.

요우타: 방과 후 교실에서 무엇을 배우는데?

아이다: 응, 바이올린을 배우는데 재미있지만 좀 어려워.

4. 하고 싶은 것

Track 7

지민: 성우야, 학예 발표회 때 뭐 할 거야?

성우: 나는 태권도를 할 거야.

지민: 너, 태권도 할 줄 알아?

성우: 그럼, 태권도는 자신 있지. 너도 나랑 같이 태권도 할래?

지민: 난 태권도를 배운 적이 없어서 못 해.

성우: 내가 가르쳐 줄게. 나한테 배워 볼래?

지민: 한 번도 해 본 적은 없지만 열심히 해 볼게.

성우: 그럼, 오늘 수업 끝나자마자 태권도 연습할래?

지민: 응, 알았어.

3단원 · 친구하고 같이 체험 학습을 가요

2. 체험 학습 모둠

Track 8

선생님: 체험 학습을 갈 때 어떻게 모둠을 만들고 싶어요? 저밍, 말해 보세요.

저밍: 저는 친한 친구끼리 모둠을 하고 싶어요.

선생님: 리암은요?

리암: 저는 친구를 많이 사귀고 싶어요. 그러니까 번호대로 모둠을 만들어 주세요.

3. 안전 교육

Track 9

선생님: 여러분, 체험 학습을 가니까 안전벨트를 매세요.

학생들: 네, 알겠습니다.

선생님: 체험 학습에 가서 혼자 돌아다니면 돼요, 안 돼요?

학생들: 안 돼요!

선생님: 그리고 체험 학습 장소에서 뛰면 안 돼요. 질서를 지켜야 돼요.

학생들: 네, 알겠습니다.

5. 가정 통신문 읽기

Track 10

지민: 엄마, 우리 학교에서 다음 주 화요일에 체험 학습을 가요.

엄마: 그래? 어디로 가는데?

지민: 과학관이요. 과학 체험도 하고 영화도 볼 거예요.

엄마: 재미있겠다. 준비물이 뭐니?

지민: 준비물은 없어요.

엄마: 그래, 알았다.

---

6. 주의 사항 듣기

Track 11

선생님: 여러분, 우리 지금 체험 학습을 가는데, 어디에 가지요?

아비가일: '움직이는 미술관'에 가요.

선생님: 맞아요. 미술관을 구경할 때 어떻게 해야 해요?

리암: 줄을 서서 구경해야 해요. 그리고 뛰면 안 돼요.

선생님: 맞아요. 그리고 미술 작품을 만지면 돼요, 안 돼요?

학생들: 안 돼요!

선생님: 그리고 혼자 돌아다니면 안 돼요. 알겠어요?

학생들: 네! 알겠습니다.

4단원 · 숙제를 다 하고 놀자고 했어요

2. 오늘의 숙제

Track 12

1) 나는 아무리 시간이 없어도 밥을 먹을 거예요.

2) 나는 아무리 졸려도 이를 닦고 잘 거예요.

3) 나는 무서워도 치과에 갈 거예요.

4) 나는 놀고 싶어도 숙제를 할 거예요.

4. 숙제 검사

Track 13

요우타: 선생님께서 뭐라고 하셨어?

아이다: 선생님께서 오늘 숙제를 잘했냐고 하셨어. 그리고 선생님께서 오늘 수업 마치고 같이 이야기하자고 하셨어.

5단원 · 쓰레기를 버리면 안 돼요

1. 공원에서 지켜야 할 규칙

Track 14

우리 공원에서는 다음과 같은 행동을 하면 안 됩니다.

첫째, 나무에 올라가면 안 돼요.

둘째, 자전거를 타면 안 돼요.

셋째, 쓰레기를 버리면 안 돼요.

넷째, 꽃을 꺾으면 안 돼요.

다섯째, 큰 소리로 노래를 부르면 안 돼요.

4. 박물관에서 지켜야 할 규칙

Track 15

요우타: 아이다, 아직도 아파?

아이다: 이제 괜찮아. 많이 나았어.

요우타: 할 말이 있어서 전화했어.

아이다: 뭔데?

요우타: 선생님께서 내일 박물관에 견학을 갈 거라고 하셨어.

아이다: 그럼, 도시락을 싸야 해?

요우타: 아니. 견학 갔다 온 다음에 학교에서 급식을 먹는다고 하셨어.

아이다: 다른 내용은 없어?

요우타: 박물관에서는 뛰어다니거나 시끄럽게 떠들면 안 된다고 하셨어. 그리고 필기도구를 챙겨 오라고 하셨어.

6단원 · 교실에서 휴대 전화를 꺼 주세요

1. 전화

Track 16

지민: 할머니 그동안 안녕하셨어요?

할머니: 그래, 할머니는 잘 있지. 우리 지민이는 요즘 밥 잘 먹니?

지민: 네, 할머니. 저녁도 많이 먹었어요.

할머니: 아이고, 잘했네. 내일은 뭐 하니?

지민: 내일 엄마랑 박물관에 가요. 학교에 안 가는 날이거든요.

2. 휴대 전화

Track 17

저밍: 하미, 너 휴대 전화 새로 샀어?

하미: 응, 아빠한테 생일 선물로 사 달라고 했어.

저밍: 좋겠다. 인터넷도 할 수 있어?

하미: 그럼, 이 버튼을 누르면 인터넷이 돼. 이건 문자 보내는 버튼이고, 이건 전화하는 버튼이야.

저밍: 이건 뭐야?

하미: 이건 알람을 맞추는 거야. 알람이 있으면 아침에 일찍 일어날 수 있어.

저밍: 이건 카메라 버튼이지?

하미: 응, 사진 한 장 찍어 줄까?

저밍: 그래, 같이 찍자.

5. 휴대 전화로 할 수 있는 일

Track 18

저밍: 하미, 뭘 보고 웃고 있어?

하미: 인터넷에서 다른 사람의 글을 읽고 있어. 재미있는 글이랑 사진이 아주 많아. 댓글 다는 것도 재미있고.

저밍: 댓글이 뭐야?

하미: 사진이나 글을 보고 그 밑에 내 생각을 쓰는 거야.

저밍: 아.

7단원 · 경찰이 되었으면 좋겠어요

1. 우리 이웃의 직업

Track 19

1) 학교에서 학생들을 가르쳐요.
2) 회사에서 일해요.
3) 도둑을 잡아요.
4) 불을 꺼요.
5) 아픈 사람의 병을 치료해요.
6) 의사하고 같이 아픈 사람들을 도와줘요.
7) 맛있는 음식을 만들어요.

2. 나의 꿈

Track 20

아비가일: 아빠, 저는 아빠처럼 경찰관이 되었으면 좋겠어요.

아빠: 너는 왜 경찰관이 되고 싶은데?

아비가일: 도둑을 잡고 착한 사람들을 보호하고 싶어서요.

아빠: 그래? 좋은 생각이야. 나도 네가 꼭 좋은 경찰관이 됐으면 좋겠다.

3. 어린이 직업 체험

Track 21

1. 지민: 우리 수의사 체험 해 볼까?
   리암: 그래! 좋아.
2. 지민: 방송국 체험을 하려면 어떻게 해야 돼?
   리암: 줄을 서서 기다리면 돼.
3. 지민: 운동선수 체험을 하려면 어떻게 해야 돼?
   리암: 그 앞에서 앉아서 기다리면 돼.

8단원 · 방학에 할머니 댁에 갈 것 같아요

1. 여행 계획

Track 22

요우타: 엄마, 방학 때 특별한 계획이 있어요?

엄마: 할머니를 뵈러 일본에 갈 거야. 그리고 할머니를 뵈러 가는 김에 일본 여행도 할 계획이야.

요우타: 와, 신난다!

2. 방학 계획

Track 23

선생님: 여러분, 방학 때 무엇을 할 거예요?

학생1: 저는 잘 모르겠지만 놀이공원에 갈 것 같아요.

학생2: 저는 할머니 댁에 갈 거예요.

학생3: 저도 잘 모르겠어요. 그런데 가족 여행을 갈 것 같아요.

학생4: 저는 박물관에 가고 싶어요.

5. 역할 놀이 하기

Track 24

아이다: 요우타, 방학 때 뭐 하기로 했어?

요우타: 할머니를 뵈러 가기로 했어.

아이다: 어디로 가는데?

요우타: 할머니께서 일본에 계시기 때문에 일본으로 갈 거야.

아이다: 좋겠다. 할머니를 뵈러 가는 김에 일본 여행도 하면 되겠네.

요우타: 응, 엄마도 그렇게 말씀하셨어.

1단원 · 뛰다가 넘어졌어요

1. 보건실

2. 1)-가   2)-나   3)-다   4)-라

2. 사고

1. 1) 라면을 끓였어요, 손을 데었어요.
   뛰었어요, 넘어졌어요.
   철봉에 매달렸어요, 떨어졌어요.
   요리를 했어요, 손을 베였어요.
   2) 하미가 뛰다가 넘어졌어요, 아이다가 철
   봉에 매달리다가 떨어졌어요, 저밍이 요
   리를 하다가 손을 베였어요.
2. 1) 자전거를 타다가 돌과 부딪혔어요.
   2) 축구를 하다가 발목을 삐었어요.
   3) 종이를 자르다가 손을 베였어요.

3. 증상

1. 1) 이가 아파서 밥을 못 먹어요.
   2) 배가 아프고 설사를 해요.
2. 1)

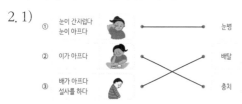

4. 병원

2. 1) 하루에 세 번 밥을 먹은 다음에 약을 먹
   어요.
   2) 하루에 두 번 소독을 한 다음에 연고를
   발라요.
3. 세 번 식사한 뒤에

5. 감기 증상 말하기

2.

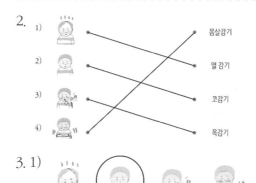

3. 1)

6. 역할 놀이 하기

1. 1) 뛰어가다가   2) 철봉에 매달리다가
   3) 요리를 하다가   4) 축구를 하다가
   5) 자전거를 타다가

7. 동화 읽기

2. 사자가 동굴에 들어온 동물들을 다 잡아먹었
기 때문이에요.

8. 생각 넓히기

2. 1) 안과
   2) 약국
   3) 내과에 가야 돼.
   발목을 삐면 정형외과에 가야 돼.
   눈병에 걸리면 안과에 가야 돼.

2단원 · 수영을 할 줄 알아요

1. 할 수 있는 일

2. 1) 자전거를 탈 줄 아니?
   종이접기를 할 줄 아니?

리코더를 불 줄 아니?

2. 배우고 싶은 것

1. 1) 자전거를 타고 싶어 해요.
   2) 방과 후 교실에 가야 해요.
   3) 바이올린을 배워요.
2. 1) 자전거 탈래
   2) ① 가: 나랑 같이 춤을 출래?
        나: 미안해. 수업 끝나자마자 방과 후 교실에 가야 해.
      ② 가: 나랑 같이 놀래?
        나: 미안해. 수업 끝나자마자 방과 후 교실에 가야 해.
      ③ 가: 나랑 같이 숙제할래?
        나: 미안해. 수업 끝나자마자 방과 후 교실에 가야 해.
3. 1) 바이올린, 마술, 종이접기, 음악 줄넘기

3. 경험한 일

1. ① 여행을 가다
   ② 금붕어를 기르다
   ③ 강아지를 키우다
   ④ 영화를 보다
2. 2) ① 너는 여행을 간 적이 있어?
        응, 나는 여행을 간 적이 있어.
        아니, 나는 여행을 간 적이 없어.
      ② 너는 금붕어를 기른 적이 있어?
        응, 나는 금붕어를 기른 적이 있어.
        아니, 나는 금붕어를 기른 적이 없어.
      ③ 너는 강아지를 키운 적이 있어?
        응, 나는 강아지를 키운 적이 있어.
        아니, 나는 강아지를 키운 적이 없어.
      ④ 너는 영화를 본 적이 있어?
        응, 나는 영화를 본 적이 있어.
        아니, 나는 영화를 본 적이 없어.

4. 하고 싶은 것

1. 1) 학예 발표회를 준비하고 있어요.
   2) 태권도 연습을 하기로 했어요.
2. 1) 태권도 할래, 열심히 해 볼게, 태권도 연습할래

5. 취미 묻고 답하기

1.

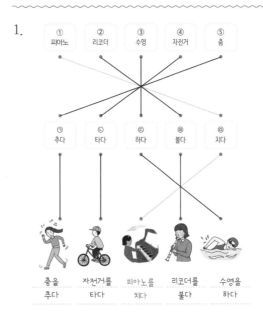

7. 가정 통신문 읽기

1. 1) 방과 후 교실
   2) 바이올린, 음악 줄넘기
   3) 목요일   4) 종이접기
   5) 신청서를 써서 선생님께 드려야 해요.

3단원 · 친구하고 같이 체험 학습을 가요

1. 체험 학습 준비

1. 1) 5월 17일 금요일에 서울대공원에 가요.
   2) 동물에게 먹이를 주고 싶어요.
      친구들하고 같이 놀고 싶어요.
      친구들하고 같이 도시락을 먹고 싶어요.
      코끼리를 보고 싶어요.

2.

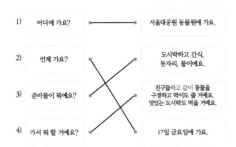

3. 1) 장소, 날짜, 준비물
   2) 가: 어디에 가요?
      나: 놀이공원에 가요.
      가: 언제 가요?
      나: 4월 16일 목요일에 가요.
      가: 준비물이 뭐예요?
      나: 간식, 돗자리, 물이에요.
      가: 가서 뭐 할 거예요?
      나: 놀이 기구를 타고 동물원을 구경할 거예요.

2. 체험 학습 모둠

2. 1) 친한 친구끼리, 번호대로

3. 안전 교육

1. 1) ①-나 ②-가 ③-다 ④-바 ⑤-라
    ⑥-마

4. 체험 학습 보고서

1. 1) 아기 양을 구경하고 양에게 먹이를 주었
    어요.
   2) 아기 양이 아주 귀여웠어요. 양에게 먹이를
    주었어요. 정말 재미있었어요.
2.

5. 가정 통신문 읽기

1. 1) 식물원   2) 2시 30분
   3) 점심 도시락, 간식, 물
2.

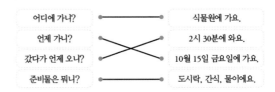

3. 2) ③

6. 주의 사항 듣기

1. ① 줄을 서서 구경해야 해요.
   ② 뛰면 안 돼요.
   ③ 미술 작품을 만지면 안 돼요.
   ④ 혼자 돌아다니면 안 돼요.
2. 줄을 서서 구경하겠습니다.
   뛰지 않겠습니다.
   미술 작품을 만지지 않겠습니다.
   혼자 돌아다니지 않겠습니다.

7. 만화 읽기

2. 1) 고양이 반하고 같이 체험 학습을 갈 수
    없어. 강아지는 강아지끼리, 고양이는 고
    양이끼리 버스를 타야 해.
   2) 강아지 반 친구들은 정말 싫어. 같이 버스에
    타는 것도 싫어.

8. 생각 넓히기

2. 1) ×   2) ○   3) ○   4) ×

4단원 · 숙제를 다 하고 놀자고 했어요

1. 알림장

1. 1)

2.
① 숙 ——— 준비물
② 가통 ——— 수학 익힘책
③ 수익 ——— 가정 통신문
④ 준 ——— 숙제

2. 오늘의 숙제

1. 1) 선생님께 혼나요.
   2) 기분이 좋아요.
2.

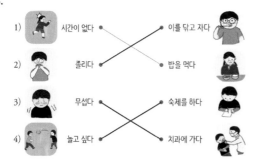

1) 시간이 없어도
2) 졸려도
3) 무서워도
4) 놀고 싶어도

3. 모둠 활동

1. 1) 몸을 그리고 있어요.
   2) 아비가일: 팔과 손을 그리기

리암: 다리 그리기
아이다: 머리 그리기
저밍: 누워 있기

2. 팔을 색칠하는 동안에
   색칠하는 동안에

4. 숙제 검사

1. 2) 했냐고 하셨어.
   이야기하자고 하셨어.
2. 1) 하자고, 있냐고, 놀자고, 풀었냐고

6. 이야기 이어 쓰기

1. 1) 로봇
   2) 물을 가지고 왔다.
   떡볶이를 만들었다.
   숙제를 확인했다.
   수학 익힘책을 풀었다.
   줄넘기를 했다.
2. 1) 만들 수 있냐고 했어요.
   2) 할 수 있냐고 했어요.

8. 생각 넓히기

2. • 독서 관련 숙제: 책 읽기(독서), 독서록 쓰기
   • 예체능 관련 숙제: 그림 그리기/만들기, 줄넘기 연습하기, 리코더/단소 연습하기
   • 인성 관련 숙제: 착한 일 하기, 집안일 돕기
   • 학습(공부) 관련 숙제: 조사하기, 보고서 작성하기, 수학 익힘책 풀기, 과학 문제 풀기, 영어 단어 외우기
   • 문화 체험 관련 숙제: 박물관 관람, 영화나 공연 보기

5단원 · 쓰레기를 버리면 안 돼요

1. 공원에서 지켜야 할 규칙

1. 1) 공원 규칙에 대한 방송
   2) 나무에 올라가면 안 돼요. 자전거를 타면 안 돼요. 쓰레기를 버리면 안 돼요. 꽃을 꺾으면 안 돼요. 큰 소리로 노래를 부르면 안 돼요.
2. 2) 타면   3) 버리면   4) 꺾으면   5) 부르면

2. 학교에서 지켜야 할 규칙

1. 1) 계단에서 뛰어다녔어요.
   복도에서 장난을 쳤어요.
   교실에서 떠들었어요.
   의자에 바르게 앉지 않았어요.
2. 안 된, 조용히 하, 앉으

3. 급식실에서 지켜야 할 규칙

1. 1) 양치질을 합니다.
   2) 손을 씻습니다. 줄을 섭니다. 급식을 받습니다. 친구들과 맛있게 먹습니다. 수저와 식판을 정해진 곳에 놓습니다. 양치질을 합니다.
2. 1) 급식을 받
   2) 정해진 곳에 놓

4. 박물관에서 지켜야 할 규칙

1. 1) 박물관에 간다고 했어요.
   2) 박물관에서 뛰어다니면 안 돼요. 박물관에서 시끄럽게 떠들면 안 돼요.
2. ① 갈 거라고 하셨어 ② 먹는다고 하셨어
   ⑤ 안 된다고 하셨어
3. 사진을 찍으면

6. 안내문 읽고 쓰기

1. 1) 규칙을 지키지 않는 어린이들이 있어서 안내문을 쓰셨어요.
   2) 아름답고 안전한 학교를 만들자고 하셨어요.
   3)

복도에서는 오른쪽으로 걸어야 해요. / 꽃을 꺾으면 안 돼요. / 계단에서는 뛰면 안 돼요. 걸어 다녀야 해요. / 운동장에 쓰레기를 버리면 안 돼요.

7. 금지 행동 표지판 만들기

1.

친구와 사이좋게 이야기하다 / 욕을 하며 싸우다 / 바르게 앉아서 공부하다 / 수업에 집중하지 않다 / 바른 자세로 책을 읽다 / 책상에 엎드려 있다

8. 생각 넓히기

2. 1) ○   2) ○   3) ×   4) ○
   5) ○   6) ○
3. 책상, 다리, 질서, 운동장

6단원 · 교실에서 휴대 전화를 꺼 주세요

1. 전화

1. 1) 전화를 걸어요, 전화를 받아요, 통화해요, 전화를 바꿔 줘요, 안부를 물어요, 전화를 끊어요
2. 1) 박물관에 가요.

2) ① 생일 파티에 가요. 친구 생일이거든요.
② 도서관에 가요. 책을 빌려야 하거든요.
③ 친구 집에 가요. 숙제를 해야 하거든요.

2. 휴대 전화

1. 1) 하미가 새로 산 휴대 전화에 대해 이야기
하고 있어요.
2) 아침에 일찍 일어날 수 있어요.
2. 1) 숙제를 좀 도와달라고 했어요
2) 사진을 좀 찍어 달라고 했어요
3) 휴대 전화를 사 달라고 했어요
4) 맛있는 거 해 달라고 했어요

3. 인터넷 대화 예절

1. 2) ①-라 ②-다 ③-가 ④-나
2. 1) 계속 ㅋㅋㅋㅋ만 하면 어떡해. 질문에 대답을
해야지.
2) 나쁜 말을 하거나 욕을 하면 어떡해. 예쁜 말을
해야지.
3) 맞춤법을 틀리게 쓰면 어떡해. 정확하게
써야지.

4. 휴대 전화 사용 예절

1. 1)-①
2)-②
3)-③
4)-④
2. 2) 미술관에서는 사진을 찍지 마세요.
화장실에서는 시끄럽게 통화하지 마세요.

5. 휴대 전화로 할 수 있는 일

1. 1)

동영상을 보다   댓글을 달다   문자를 보내다

2) 다른 사람의 사진이나 글을 읽고 댓글을
달아요.
3) ② 댓글을 잘 생각해서 달아야겠다. 다른
사람이 기분 나쁠 수도 있으니까.
2. 2) ① 가: 뭐 해?
나: 인터넷으로 물건을 사고 있어.
② 가: 뭐 해?
나: 일기 예보를 보고 있어.
③ 가: 뭐 해?
나: 동영상을 보고 있어.
④ 가: 뭐 해?
나: 전화를 하고 있어.
⑤ 가: 뭐 해?
나: 친구와 문자 메시지를 주고받고 있어.
⑥ 가: 뭐 해?
나: 게임을 하고 있어.

6. 문자 메시지 읽고 쓰기

1. 1) 감기 때문에 못 갔어요.
2) 성우는 준비물이 뭔지 몰라요. 그래서 리암한테
물어보고 알려 줄 거예요.
3) 리암, 안녕? 나 성우야. 내일 준비물 좀 알
려 줄래?
3. 선생님, 저 저밍이에요. 늦은 시간에 문자 보내
서 죄송해요. 숙제 좀 알려 주실 수 있으세요?

7. 일기 읽고 말하기

1. 1) 하미가 새 휴대 전화를 가지고 왔어요.
2) 아직 어려서 안 된다고 하셨어요.
3) 알람도 하고, 문자도 보낼 수 있다고 했어요.

7단원 · 경찰이 되었으면 좋겠어요

1. 우리 이웃의 직업

1. 2) ① 불을 꺼요. - 소방관

② 회사에서 일해요. - 회사원

③ 도둑을 잡아요. - 경찰관

④ 학교에서 학생들을 가르쳐요. - 선생님

⑤ 아픈 사람의 병을 치료해요. - 의사

⑥ 의사하고 같이 아픈 사람들을 도와줘요.
- 간호사

⑦ 맛있는 음식을 만들어요. - 요리사

2. 1) 선생님 2) 회사원 3) 경찰관
4) 소방관 5) 의사 6) 간호사 7) 요리사

2. 나의 꿈

1. 1) 경찰관

2) 경찰관, 도둑을 잡고 착한 사람들을 보호
하고 싶어요.

2. 1) 됐으면 좋겠다

3. 어린이 직업 체험

2. 1) 수의사 체험, 방송국 체험, 운동선수 체험

3. 가: 방송국 체험을 하려면 어떻게 해야 해?

나: 여기에서 줄을 서서 기다리면 돼.

가: 수의사 체험을 하려면 어떻게 해야 해?

나: 번호표를 받고 기다리면 돼.

가: 비행기 조종사 체험을 하려면 어떻게 해야해?

나: 2층으로 올라가면 돼.

5. 성우의 꿈 읽기

2. 저는 나중에 커서 택배 기사가 됐으면 좋겠
어요.

저는 나중에 커서 키가 큰 아빠가 됐으면
좋겠어요.

6. 재미있는 이야기 읽기

2. 1) 고양이처럼 높은 곳에서 뛰어내리고 싶어서.

2) 강아지처럼 '멍멍' 짖고 싶어서.

7. 성격과 어울리는 직업 말하기

2. ④, ①, ③

8. 생각 넓히기

2. 1) ④, ②, ①, ⑤, ⑥, ③

8단원 · 방학에 할머니 댁에 갈 것 같아요

1. 여행 계획

1. 1) 방학 계획에 대해 이야기를 해요.

2) 할머니를 만나고, 일본 여행을 할 계획이에요.

2. 1) 친구를 만날

2) 할머니를 뵈러, 다른 친척을 만날

2. 방학 계획

1. 1) 방학 때 무엇을 할 거예요?

2) 할머니 댁에 갈 것 같아요.

박물관에 갈 것 같아요.

가족 여행을 갈 것 같아요.

놀이공원에 갈 것 같아요.

2. 가: 너는 방학에 뭐 할 거야?

나: 나는 가족 여행을 갈 것 같아.

가: 너는 방학에 뭐 할 거야?

나: 나는 박물관에 갈 것 같아.

가: 너는 방학에 뭐 할 거야?

나: 나는 놀이공원에 갈 것 같아.

3. 생활 계획표

1. 1) 8시, 10시

2) 10시부터 11시까지

3) 텔레비전 보기, 일기 쓰기

2. 1) 운동을   2) 책을   3) 자유 시간을

　 4) 태권도를   5) 일기를

4. 새해 다짐 일기

1. 1) 새해/1월 1일

　 2) 건강해지고 싶, 부족하

5. 역할 놀이 하기

1. 1) 방학 때 할 일에 대해 이야기해요.

　 2) 할머니를 뵈러 가는 김에 일본 여행도 할
　　 거야.

2. 방학, 할머니, 일본 여행, 엄마

8. 생각 넓히기

1. 1) 미국, 일본, 베트남, 중국

　 2) 대한민국

　 3) 여름 방학과 겨울 방학이 있다. 여름 방학
　　 이 길다.

문법 색인

어휘 색인

담당 연구원 ——

정혜선 국립국어원 학예연구사
박지수 국립국어원 연구원

집필진 ——

책임 집필

이병규 서울교육대학교 국어교육과 교수

공동 집필

박지순 연세대학교 글로벌인재학부 교수
손희연 서울교육대학교 국어교육과 교수
안찬원 서울창도초등학교 교사
오경숙 서강대학교 전인교육원 교수
이효정 국민대학교 교양대학 교수
김세현 서울명신초등학교 교사
김정은 서울가원초등학교 교사
박유현 연세대학교 언어연구교육원 한국어학당 강사

박창균 대구교육대학교 국어교육과 교수
박혜연 서울교대부설초등학교 교사
박효훈 서울원명초등학교 교사
신윤정 서울도림초등학교 교사
이은경 세종사이버대학교 한국어학과 교수
이현진 서울천일초등학교 교사
최근애 서울사근초등학교 교사
강수연 서울선곡초등학교 다문화언어 교원

초등학생을 위한
표준 한국어
의사소통 3·저학년

ⓒ 국립국어원 기획 | 이병규 외 집필

초판 1쇄 발행 | 2019년 2월 25일
초판 5쇄 발행 | 2023년 11월 20일

기획 | 국립국어원
지은이 | 이병규 외
발행인 | 정은영
책임 편집 | 한미경
디자인 | 표지디자인붐, 본문디자인붐, 박현정, 윤혜민
일러스트 | 우민혜, 민효인, 김채원
사진 제공 | 셔터스톡, 웅진주니어
음악 | KOMCA 승인 필

펴낸곳 | 마리북스
출판 등록 | 제2019-000292호
주소 | (04037) 서울시 마포구 양화로 59 화승리버스텔 503호

전화 | 02)336-0729, 0730
팩스 | 070)7610-2870
이메일 | mari@maribooks.com
인쇄 | (주)금명문화

ISBN 978-89-94011-94-3(64710)
      978-89-94011-91-2(64710) set

1단원(28쪽)

뛰어가다가	요리를 하다가	철봉에 매달리다가
자전거를 타다가	축구를 하다가	

2단원(40쪽)

여행을 가다　　금붕어를 기르다　　영화를 보다　　강아지를 키우다

3단원(61쪽)

3단원(64쪽)

혼자 돌아다니면 안 돼요.	미술 작품을 만지면 안 돼요.
뛰면 안 돼요.	줄을 서서 구경해야 해요.

5단원(102쪽)

7단원(126쪽)

경찰관　　의사　　회사원　　간호사　　소방관　　요리사　　선생님

4단원 86쪽

책 읽기(독서)	박물관 관람	독서록 쓰기	수학 익힘책 풀기	과학 문제 풀기
	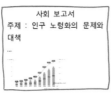			
조사하기	보고서 작성하기	영어 단어 외우기	줄넘기 연습하기	리코더/단소 연습하기

그림 그리기/만들기	집안일 돕기	영화나 공연 보기	착한 일 하기	

5단원 99쪽

7단원 141쪽

〈직업 이름 카드〉

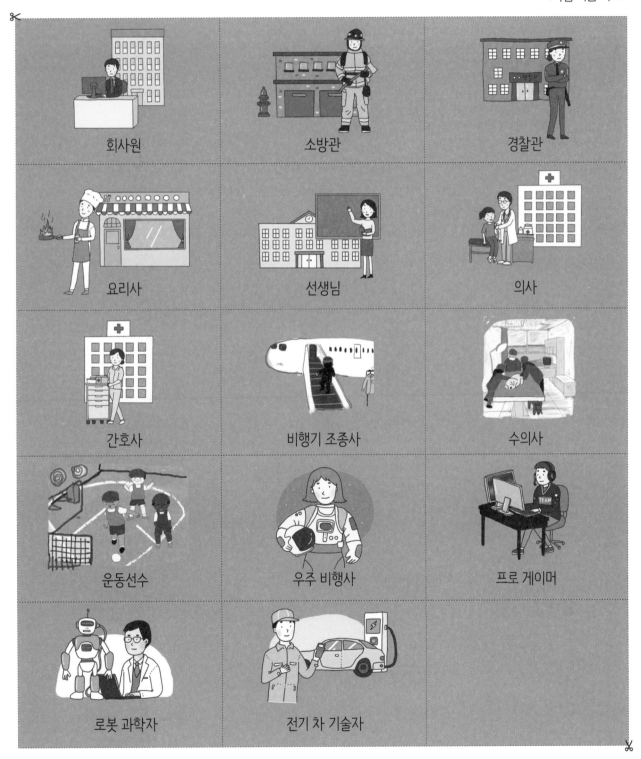

회사원　　　소방관　　　경찰관

요리사　　　선생님　　　의사

간호사　　　비행기 조종사　　　수의사

운동선수　　　우주 비행사　　　프로 게이머

로봇 과학자　　　전기 차 기술자

〈하는 일 카드〉

회사에서 일해요.	불을 꺼요.	도둑을 잡아요.
맛있는 음식을 만들어요.	학교에서 학생들을 가르쳐요.	아픈 사람의 병을 치료해요.
의사하고 같이 아픈 사람들을 도와줘요.	비행기를 운전해요.	아픈 강아지나 고양이를 치료해요.
운동 경기를 해요.	우주 비행을 해요.	게임을 연습해요.
로봇을 만들어요.	전기 자동차를 만들고 고쳐요.